ELLE A CHOISI DE MOURIR
Les cratères du Kilimutu
de Roger Blay
est le cent quatre-vingt-quinzième ouvrage
publié chez
LANCTÔT ÉDITEUR.

ELLE A CHOISI DE MOURIR

Les cratères du Kilimutu

du même auteur

Le vol du Condor, roman, 2000.

Roger Blay

ELLE A CHOISI DE MOURIR

Les cratères du Kilimutu

roman

LANCTÔT
ÉDITEUR

LANCTÔT ÉDITEUR
1660 A, avenue Ducharme
Outremont (Québec)
H2V 1G7
Tél. : (514) 270.6303
Téléc. : (514) 273.9608
Adresse électronique : lanctotediteur@videotron.ca
Site Internet : www.lanctotediteur.qc.ca

Photo de la couverture : Guy Borremans

Maquette de la couverture :
Louise Durocher

Mise en pages :
Andréa Joseph [PAGEXPRESS]

Distribution :
Prologue
Tél. : (450) 434.0306 / 1.800.363.2864
Téléc. : (450) 434.2627 ou 1.800.361.8088

Distribution en Europe :
Librairie du Québec
30, rue Gay-Lussac
75005 Paris
France
Téléc. : 43.54.39.15

Nous remercions le ministère du Patrimoine canadien et le Conseil des
arts du Canada de l'aide accordée à notre programme de publication.
Nous remercions également la SODEC, du ministère de la Culture et
des Communications du Québec, de son soutien. Lanctôt éditeur
bénéficie du Programme de crédits d'impôt pour l'édition de livres du
gouvernement du Québec, géré par la SODEC.

À Jeanne, Jean-François et Félix

Chapitre premier

*J*E SUIS MORT!

Mon cadavre est étendu sur une dalle de marbre froid. La peau de mon corps dénudé est flasque, crayeuse ; plus de sang pour colorer les veines. Mon sexe est rabougri, ratatiné, délesté de toute puissance érectile. Mes orteils pointent vers le ciel, raides, appendices de pieds qui ne toucheront plus terre. Mon visage glauque est hérissé de poils blancs. Mes paupières sont closes à jamais sur des yeux éteints.

Dédoublé, animal fringant à la crinière forte et à la peau cuivrée, je tourne autour de ce corps mort, mon corps, sans comprendre ce qui se passe, comme si je lui avais siphonné tout son jus, toute son essence, une sève qui me vivifie le sang, monte le long de mes cuisses, rend mon ventre musclé et augmente les battements de mon cœur neuf, charriant les globules jusqu'à mon cerveau en ébullition, un jardin de garances en flammes. Fauve aux aguets, je continue à tourner autour de ce corps à odeur de mort. Au travers de son ventre mollasse, en cercles concentriques partant du nombril, j'y vois un soleil éteint, fait de petites plaques de céramique brûlée, vert-de-gris ; les rayons, par dizaines, se prolongeant dans tout le corps, ne sont plus que filaments fragiles de moisissure ; son cœur, un muscle meurtri qui n'a pompé le sang sa vie durant que pour nourrir un feu mutant en mes veines, à moi, qui continue à rôder autour comme une bête curieuse. Son cerveau, mort d'un amour non né, d'une tendresse égorgée depuis l'enfance, n'est plus que miasmes putrides, déjà envahi par les vers.

Au moment où je pense : « Trop de douleurs ont abîmé ce corps », je suis transbahuté par un vent violent et chaud au sommet d'une colline verdoyante peuplée d'arbres centenaires, gigantesques, semblant vouloir percer la voûte céleste : une forêt qui apaise mes esprits, portant un goût d'éternel qui me pénètre par tous les sens.

Je suis dans mon élément, humant les odeurs résineuses des bouleaux, pins et sapins ; je marche sur un tapis d'aiguilles vertes glissantes ; mes pieds se sont transformés en sabots de chevreuil ; des poils fauves ont envahi le bas de mon corps, couvrant deux pattes solides, prestes et deux fesses frémissantes : métamorphose mythique, centaure-chevreuil à l'affût, je déambule, les neurones en éveil. À l'orée de cette forêt d'énergies vivifiantes, j'arrive au bord de la colline et j'aperçois, tout en bas, à plus de cinq cents mètres, une brume d'aube orangée recouvrant les eaux d'un lac ; le silence est troublé par des gémissements, des pleurs qui résonnent en écho sur les monts avoisinants. Sur la berge, je distingue, à travers la buée, monté sur de hauts tréteaux, un cercueil rectangulaire fait de lattes de bois blanchies à la chaux ; à l'intérieur, repose le corps que je viens de délaisser, mon corps ; et tout autour, le sarcophage de bois comme flottant au-dessus de leurs têtes à cause de la brume rosâtre, une dizaine de femmes, vêtues de voiles noirs des pieds à la tête, piétinent le sol en scandant leurs clameurs psalmodiées de pleureuses grecques.

« Qu'ont-elles à gémir ainsi ? Ces plaintes ne s'adressent qu'à leurs propres peaux vieillissantes qui ne reçoivent plus aucune lumière. Elles ignorent que ce catafalque au-dessus de leur tête renferme un corps qui ne s'est dépouillé de son être que pour me transmettre un souffle sauvage ; elles ne le sauront jamais, claquemurées qu'elles sont dans leur rituel, hurlant à la mort depuis des siècles pour mieux se refermer sur elles-mêmes, s'assécher. »

Alors que je m'apprête à dévaler la colline pour chasser ces oiseaux de malheur, une explosion me fige sur place : un souffle de feu enflamme les faibles lattes du cercueil, vite consumées dans des bruits de bois sec qui pète; les flammes embrasent le corps à une vitesse fulgurante, les os calcinés jaillissant de toutes parts; une déflagration projette, en vol plané, les corneilles noires gémissantes jusque dans les eaux du lac, où elles s'enfoncent dans des crissements sinistres. Au même moment, la maison de pierre de mon enfance prend lieu et place du cercueil brûlant : balcons, fenêtres et portes sont envahis par de hautes flammes chauffant l'atmosphère, balayant la brume matinale, se joignant aux rayons du soleil soudainement à son zénith. À l'intérieur de la maison, brûle un autre corps, celui de mon père. Son rêve, son château, sa maison qu'il avait mis des années à planifier et à construire, son propre corps, tout est dévoré. Mon père périt dans la nuit de son œuvre!

Ce feu me rentre dans le ventre, jouissance indescriptible me portant dans un galop à fond de train jusqu'au bas de la colline, autour du brasier qui abolit le temps : un feu prométhéen pour anéantir un passé aliénant.

Alors que les flammes diminuent d'intensité, la pluie s'abat soudain, accompagnée d'un violent sirocco, une tempête déracinant deux arbres centenaires qui, arrachés de terre, s'écroulent du haut de la colline sur la maison, lentement, majestueusement, faisant s'effondrer les pierres avec fracas. L'orage se calme et se transforme en averse pour laver ce qui reste de ruines, d'os et de pierres calcinés, débris entremêlés.

De ces cendres, un autre monde naît en même temps qu'un autre jour. Le disque solaire pointant à l'horizon sèche les averses de la nuit tempétueuse, recrée les eaux du lac par sa lumière et me remet sur pied, toute bête fauve en moi intégrée harmonieusement. Au milieu des décombres, miraculeusement sauvé des flammes, un piano droit de bois blond resplendit dans la luminescence du soleil levant;

la planche rosie au-dessus du clavier a été tranchée dans le
cœur de l'arbre, le cœur d'un grand âge.

Une jeunesse retrouvée, je me réveille au jour.

Chapitre deux

La fin de la naissance est mort.
La fin de la mort est naissance.

BHAGAVAD-GITA

Au LENDEMAIN de ce rêve où mon corps et celui de mon géniteur sont brûlés dans les flammes de mon subconscient, je célèbre mes cinquante ans, âge où mon propre père a été foudroyé par un infarctus. J'avais neuf ans quand j'ai assisté à ses derniers râles d'agonie, des râles qui reviennent me hanter périodiquement. Toute une vie à traîner ce boulet, à essayer de me refigurer une paternité : je lui en voulais de n'avoir pas été foutu de vivre assez longtemps pour me servir de modèle. À l'approche de la cinquantaine, s'était développée en moi une peur non avouée de la mort.

Je suis à Bali, accompagné de ma fille, Jacinthe, qui fêtera bientôt ses vingt et un ans. La concordance de nos deux anniversaires, à trois semaines d'intervalle, a toujours donné lieu à des célébrations. Aujourd'hui, je ne sais plus si j'ai l'esprit à la fête.

Pour convaincre Jacinthe de m'accompagner, je lui ai dit que ce voyage lui servirait d'initiation pour son entrée dans l'âge adulte. Nous allions découvrir ensemble l'autre côté de la Terre, explorer d'autres coutumes, d'autres mœurs, naître au monde oriental, fuir l'Occident qui a perdu le sens du rituel.

Bali est une île poisseuse d'humidité, à la végétation surabondante, une île de rêve où le moindre événement est prétexte à rituel, de la naissance à la mort. Tous les jours, dans la rue, nous croisons des files de femmes qui se dirigent vers le temple, tenant en équilibre sur leur tête des pyramides de fruits en offrande aux dieux. Elles sont belles, gracieuses, la démarche altière, le corps enserré dans des sarongs de couleurs vives recouverts, à la taille, d'un *kaïn* doré, obligatoire pour entrer au temple. Les hommes suivent dans une démarche plus libre : leurs sarongs noués différemment permet de plus grandes enjambées ; ils glissent un *kriss* dans leur ceinture, au milieu du dos, ce poignard balinais à la lame sinueuse effilée possédant des vertus magiques, autrefois utilisé comme arme de combat. Jacinthe et moi, vêtus à la balinaise, prenons plaisir à suivre ces défilés.

Fortuitement, en ce jour où la mort me hante, le défilé nous mène jusqu'en banlieue d'Ubud pour une crémation. Une vieille femme décharnée mène le cortège en dansant sensuellement au son de la musique du gamelan dans des mouvements lascifs des bras et des jambes ; un rictus expose ses dents rougies par le bétel, aux vertus aphrodisiaques. Elle entrecoupe sa danse de mouvements en saccades, créant allégrement l'illusion d'un accouplement disgracieux avec la mort. Deux colosses la suivent dans une démarche tranquille, deux lutteurs, torses et jambes nus, exposant leurs muscles, la taille enserrée dans de courts sarongs blancs et noirs, couleurs représentant le bien et le mal. Les autres hommes sont vêtus de blanc des pieds à la tête, certains portant des instruments de musique à la main, d'autres retenant sur leur épaule droite un petit cercueil symbolique recouvert de tissu aux couleurs vives brodé d'or. À mi-parcours, le cortège s'arrête. Au milieu de plats de fruits et de fleurs que les femmes ont étalés sur le sol, protégés du soleil par des parasols colorés tenus à bout de bras, les deux colosses, un genou en terre, empoignent le manche de leur *kriss* et dirigent la pointe acérée vers leur cœur, appuyant de toutes leurs forces, les biceps saillants, sans qu'aucune goutte de sang perle. La magie a opéré, la peau a résisté, des forces occultes les ont protégés et protégeront pour l'année à venir la communauté réunie, une centaine de personnes. Au son d'une musique tintinabulante, le défilé se remet en marche.

Un magnifique taureau laminé d'or trône sur une estrade de joncs haute de trois mètres. Il a un pénis et deux longues cornes noirs en croissants lunaires évoquant le dieu védique Shiva, qui est assimilé au taureau. La semence du taureau fertilise la terre. Avant la conquête des Hollandais, on brûlait le corps des sultans dans des cercueils en forme de taureau. Aujourd'hui, il n'est que symbolique, une idole, comme le sultan, qui règne dans un palais vide que visitent les touristes. À côté, sur une estrade plus basse recouverte d'un toit de papier blanc et rouge en baldaquin, on a déposé un premier cadavre dans un cercueil figurant un poisson énorme : la gueule est blanche, grande ouverte avec des dents acérées ; le corps du poisson est peint de couleurs vives, bleu, jaune et rouge ; seuls l'œil et la queue sont d'un noir de ténèbre. Les hommes autour récitent des prières, leurs mains jointes appuyées entre les sourcils, à hauteur de la glande hypophyse, ce troisième œil. Le cérémonial de la crémation est réservé aux hommes. Ils brûlent les cadavres pour que renaisse la vie : la combustion de l'enveloppe grossière est un rite de passage, un acte sacré pour que l'âme s'unisse à la source subtile. Les hindouistes l'appellent *Kundalinî* : état de connaissance intuitive, de clairvoyance parfois transmise à ceux qui assistent à la cérémonie.

À ras terre, un autre cercueil, de même fabrication que celui de mon rêve mais plus petit, renferme le cadavre d'un enfant d'une famille pauvre qui a dû attendre pendant deux mois la mort d'un plus riche afin que soient amortis les coûts de l'opération, avant qu'on le déterre pour que le feu, identifié au dieu Brahma, puisse enfin illuminer et purifier son être.

Ils arrosent les bûches d'essence. Au même instant, les flammes de Brahma dévorent le taureau d'or, le poisson vorace aux dents acérées et le cercueil aux faibles lattes de bois. Un homme, muni d'un bâton, repousse les os de l'enfant vers l'intérieur. Les frêles planches brûlant trop vite, ce qui reste du corps s'affaisse dans le brasier. L'odeur de chair humaine grillée m'est insupportable. Ce feu m'atteint au plexus solaire, je me sens mal ; des souvenirs me brûlent à l'intérieur, surgis d'une enfance que je croyais enfouie dans des terres oubliées.

J'ai six ans quand nous inaugurons la maison paternelle. Construite dans un quartier pauvre, elle a à mes yeux des allures de château, mais à ce château est accolée une chaufferie rudimentaire où l'on fait sécher le bois vert pour l'usine de portes et fenêtres dont il est le maître d'œuvre. Cette chaufferie est une menace constante : trois ou quatre fois par an, la nuit, hiver comme été, l'incendie s'y déclare. Les pompiers passent leurs boyaux d'arrosage par la maison, jusqu'au troisième étage, de manière à projeter les jets d'eau sur le toit, que les flammes traversent, léchant le mur arrière de la maison ; le bois séché crépite, des étincelles éclairent la nuit noire. Ma mère panique. Mon père crie ses ordres aux pompiers, qui ne l'écoutent pas. Mes frères et mes sœurs s'amusent du spectacle ; moi, le septième de cette famille de neuf enfants, pétrifié, je fixe les flammes, un feu d'enfer où je brûlerai pour l'éternité parce que je commets des péchés, surtout ceux de la chair, en solitaire ou avec une petite voisine sous une galerie. J'ai sept ans, elle en a cinq, nous nous affolons d'attouchements, de découvertes. Un jour, les parents nous surprennent et nous punissent sévèrement de volées de coups sur nos fesses nues. Je suis plongé dans des tourments terribles : le feu d'un dieu cruel et vengeur me menace, alimenté par le bourrage de crâne de mes éducateurs : curés, parents, bonnes sœurs et frères du Sacré-Cœur, qui entretiennent la crainte de la géhenne brûlant mes chairs pour l'éternité. Cette engeance d'éducateurs ne m'inspire que répulsion, qui se mute en feu de colère contenue, en une révolte qui couvera pendant des années. Un de ces frères, au visage boutonneux, m'appelle « le beau petit Guillaume », promène ses mains adipeuses sur mes cuisses, mes fesses et une fois même sur mon sexe à nu, sous ma culotte courte, sous prétexte de me soulever pour me montrer un tableau accroché au mur. Un viol qui laisse « le beau petit Guillaume » muet de rage. Un jour, de ses petits poings remplis de colère, il se bat vaillamment contre cette soutane noire d'où se dégage une odeur de pipi écœurante. Impossible de se confier à quiconque. Muet de désarroi, il est puni de dix coups de *strap* sur les mains, par son père, autoritaire et distant, pour avoir osé s'attaquer à un adulte protégé par sa soutane ecclésiastique.

Je me suis écarté de la foule. À l'abri des regards, je vomis derrière un arbre ce flot de souvenirs envahissants. Jacinthe m'a suivi.

— Qu'est-ce que tu as, papa ? Tu es blanc comme un drap.

— Des années de mon enfance me sont revenues en pleine face, mais ne me demande pas de t'expliquer. Viens, on va aller voir les femmes autour des fosses.

Je me faisais un devoir de ne jamais lui parler de ce passé sombre qu'a connu le Québec, des années d'obscurantisme au fil desquelles on a élevé les enfants à la *strap* et où les robes noires croassantes tuaient dans l'œuf tout désir, toute tendresse à naître, manipulant les âmes à leur guise dans la noirceur du confessionnal, heurtant la fragilité des enfants dans la nuit des pensionnats, établissant un règne de terreur dans toutes les sphères de la communauté, influençant même la politique du pays.

À seize ans, je quitte ma famille et la ville de Québec, à l'assaut du Grand Montréal. Traversant ma crise d'adolescence, après de multiples questionnements, je dois lutter pour me défaire de cet endoctrinement religieux dévastateur dont on m'a gavé comme une oie. Sans en comprendre encore les tenants et aboutissants, j'ai envie de réfuter l'entière société québécoise.

À vingt-cinq ans, après trois années d'études en théâtre, je m'envole vers l'Europe avec l'intention ferme de ne jamais revenir. J'y reste cinq ans, d'abord à visiter les pays de l'Europe de l'Est et de l'Ouest, les îles grecques, cherchant dans la fréquentation de cultures antiques une signification à ma vie. Le manque d'affection de mon enfance me dévore et alimente tout à la fois un feu d'enfer, une soif de connaissance, un besoin de conquête : je veux comprendre ma provenance en interrogeant l'Univers. La pratique de mon métier d'acteur comble une quête d'amour : je veux qu'on m'aime, comme à peu près tous ceux qui ont choisi ce métier. Ce métier qui me permet de vivre à Paris, de faire une tournée dans tous les coins de la France, de visiter sept pays de l'ancienne Afrique équatoriale française pendant six mois, de jouer parfois devant des publics qui ne connaissent du théâtre que les griots, ces conteurs solitaires qui trimballent la parole traditionnelle d'un village à un autre, réinventant l'histoire, la prolongeant par la magie du verbe, comme les trouvères du Moyen Âge. J'y découvre la source première du théâtre, la joie initiale de recréer le monde sur la place publique de l'Afrique profonde, loin des capitales. Un jour, dans un village du Gabon, un spectateur monte sur les tréteaux avec son marteau pour enfoncer un clou qui dépasse, stoppant l'action, tout bonnement. Un autre jour, dans un village du Cameroun, chez les Bamilekes, un des comédiens a un trou de mémoire, figé qu'il est par l'apparition, au milieu des spectateurs, d'une beauté exquise : une Négresse aux yeux verts semblant sortie d'un conte de fées, et tous, acteurs et spectateurs, prenant conscience du malaise ainsi créé, de s'esclaffer. Cette anecdote savoureuse, l'acteur en question, une fois revenu à Paris, la transpose dans l'écriture d'une nouvelle où l'action se déroule sur une planète habitée de femmes noires aux yeux verts possédant un pouvoir de séduction inné qui leur permet d'entrer en possession de l'esprit de l'homme désiré.

Un des spectacles que j'ai moi-même mis en scène est basé sur un texte de la Genèse auquel se juxtaposent des poèmes contemporains pour chaque jour de la Création, le tout relié par des danses d'accouplement sur une musique de jazz.

Dans une ville du Congo, il y a panne d'électricité. Réalisant qu'on ne peut utiliser la musique, on décide d'exécuter quand même les danses. À la lumière du soleil, chaque corps, libéré de l'écoute, recrée dans le silence sa propre musique : des attouchements, des frôlements innovés réveillent mes années d'enfance pour les réinventer. Les Africains applaudissent rarement à la fin d'un spectacle mais, cette fois-là, tous, habitués à ponctuer de chants et de rythmes chaque étape de vie, se lèvent d'un bloc pour applaudir à tout rompre en dansant.

En ces pays d'Afrique longeant l'océan, j'ai appris à rire, d'un rire libérateur ; ils rient à tout moment, une explosion tranquille au rythme de la marée. Ceux qui vivent près du Sahara sont beaucoup plus sérieux, ténébreux, comme si le désert façonnait leur âme de sa sécheresse.

Je voyageais d'un pays à un autre, d'une aventure à une autre, d'une femme à une autre. Avide de tout connaître, je fuyais pour mieux me retrouver, me cherchant une identité à travers les multiples rôles de révoltés ou de guerriers qu'on me confiait.

Il m'a fallu atteindre l'âge de la mort de mon père pour que ce lointain passé défile, déployé en grappe alliacée.

L'« Œil du jour » — c'est ainsi que l'on nomme le Soleil en balinais — est resplendissant. Ces femmes aux cheveux d'ébène tirent de leurs paniers en osier des pétales de fleurs pour les épandre sur les nappes blanches recouvrant les fosses déjà remplies de terre. L'atmosphère est baignée de tendresse. Elles sont agenouillées autour des nappes pour fleurir la terre où se décomposaient les chairs des deux disparus. Avant la conquête, sous leurs blouses de dentelles, on pouvait entrevoir la nudité de leurs seins. Le soutien-gorge est un héritage des colonisateurs hollandais.

Jacinthe, ma fille, est une danseuse. Tout ce qui est gestuelle l'intéresse vivement. Elle s'est agenouillée près de la mère de l'enfant qu'on vient de voir brûler, une jeune femme dans la vingtaine, heureuse de l'accueillir. Les regards, amusés, se sont tournés vers Jacinthe, la seule Blanche à tête rousse au milieu de ces Balinaises, pour qui le langage symbolique des mains épandant les pétales est hautement significatif. Leurs mains accomplissent une danse, un rituel transmis depuis la plus tendre enfance. Leurs longs doigts effilés en mouvement reproduisent dans l'espace les *mudrâ* du Bouddha, une pénétration de l'esprit où chaque position symbolise une attitude intérieure. Jacinthe, fascinée par tant de dextérité, s'applique d'abord à imiter les femmes, puis, petit à petit, en souplesse et délicatesse, les pétales de couleur déposés, fragiles, sur la nappe immaculée composent un tableau de brillance éclatée, une nature morte irisée. Jacinthe, prise à son propre jeu, exécute soudain une danse des mains inspirée. Les rires autour se taisent et une dizaine de Balinaises s'amusent à la suivre. Les visages rieurs se concentrent, les mains entrent en osmose et composent un ballet de doigts qui se frôlent, un bouquet mouvant d'une fraîche spontanéité. Jamais je n'ai vu ma fille atteindre une telle liberté, comme si ce qu'elle avait jusqu'ici exprimé par le corps se concentrait dans cette danse des mains qu'elle vient d'initier. Ce qui émane de son visage est envoûtant, une force apaisante, la force d'une femme qui se découvre, d'une guerrière naissante.

En un éclair, je revisite des étapes de sa vie. Je me suis séparé de sa mère alors qu'elle n'avait que trois ans. Je revois les efforts éperdus de notre petite pour recoller le couple, sa peine profonde. Un jour, peu après la séparation, je commets une bêtise : par négligence, j'arrive une demi-heure en retard à sa garderie et, cette journée-là, le personnel est parti tôt. La police recueille la petite en larmes et gelée sur le coin de la rue. Sa mère, furieuse, veut m'en enlever la garde, mais Jacinthe, du haut de ses trois ans et demi, s'y oppose de toutes ses forces. Pendant des années, je vis avec elle une semaine sur deux, mais je pars souvent en voyage et la délaisse pour des périodes plus ou moins longues. Elle me manque, je me sens coupable pour le temps d'amour perdu. Je ne veux surtout pas lui faire vivre l'enfance esseulée que j'ai connue, mais je me cherche ailleurs, je me fuis encore et toujours... Sa mère, excédée par mes constantes absences, décide de partir à son tour pour une période de trois mois en Europe. La petite joue l'indifférence, cachant sa peine, comme si sa mère n'existait pas ; elle refuse même que je lui lise ses cartes postales. À son retour, elles se jettent dans les bras l'une de l'autre, tout est oublié, mais j'ai vu poindre sa force de caractère. Cette même force, dans sa crise d'adolescence récente, se manifeste par une rébellion féroce contre l'autorité paternelle, des scènes qui se terminent souvent à travers des sanglots de grosse peine. Elle me reproche de ne pas lui avoir fabriqué un frère ou une sœur avec qui elle aurait pu partager. Petite fille, elle s'invente un copain, un ami imaginaire qui l'accompagne dans ses jeux. Elle lui parle, échange, joue avec lui pendant des heures ; quand j'ai le malheur de passer trop près d'elle par inadvertance, elle me crie de faire attention, que je pourrais l'écraser. Mes yeux d'adulte ne peuvent voir cet ange de l'extraordinaire, mais peut-être existe-t-il vraiment ? Quand je demande s'il a un nom, ma petite me répond qu'il n'en a pas besoin. Cette présence auprès d'elle m'émerveille ; dans ses dessins d'enfant, où elle recrée son univers, elle s'exprime en des taches de couleurs pastel, évanescentes.

Aujoud'hui, évoquant les déités védiques, ces mains en symbiose voyagent de la mort à la vie au-dessus de la nappe fleurie. Jacinthe, au centre, sa chevelure rousse brillant dans le soleil, est transfigurée, les yeux clos. Son ange d'enfance naît à une nouvelle mythologie ; l'air est imprégné de la présence envoûtante de Shiva, divinité mythique aux multiples bras ensemençant la terre.

Un sortilège me ramène au rêve dans lequel j'ai noyé dans des eaux tranquilles les femmes du berceau occidental de ma vie : ma mère, mes sœurs, en ces premières années dénuées de tendresse, puis rencontres multiples, insatisfaisantes, quête insatiable d'amour, mystère à élucider. J'ai fait périr ces femmes émanant de la civilisation grecque, pleureuses noyées dans les eaux de mon lac de rêve, et là, je vois ma fille s'abreuver à une source nouvelle. J'en suis baigné de ravissement.

Je suis arraché à mon envoûtement par l'arrivée de deux hommes portant sur un brancard un habitacle de plusieurs étages en papier de soie, orné de guirlandes et de dessins multicolores où le jaune brillant prédomine, pagode miniature renfermant les cendres des deux corps consumés dans les flammes de Brahma. Les femmes, une cinquantaine, prennent le relais et nous mènent jusqu'à la mer dans un mouvement désordonné.

À proximité du rivage, le groupe fait un bref arrêt devant un amoncellement rocailleux haut de deux mètres, des roches granitiques usées par les eaux de la mer, sur lesquelles sont peints des monstres, des gorgones épousant l'usure de la roche : un énorme hibou à tête blanche d'écume dégoulinant de rouge sang, une chauve-souris difforme d'un bleu opaque, une autre bête à tête blanche et à gueule rouge qui a l'air d'un vieux jouet d'enfant. Ces monstres sont peut-être là pour extirper les maléfices de la mer profonde. L'eau, pour les hindouistes, est *materia prima* et *prâna,* souffle vital ; il est dans la nature des choses que la femme, celle qui enfante, soit désignée pour retourner les cendres des morts aux eaux d'origine. Les hommes se tiennent en retrait.

Six femmes sont entrées dans la mer ; les devançant, Jacinthe et la jeune mère pourfendent les flots vaillamment, de l'eau jusqu'au cou, poussant devant elles la pagode voguant ivre au gré des vagues, jusqu'à ce qu'une grosse houle l'emporte au large.

Dans le lointain, une onde de fond fait soudainement chavirer l'habitacle qui disparaît de ma vue. Il coule vers l'abîme. Les cendres des deux disparus vont être mélangées au sable des eaux primordiales.

Alors que tous sont repartis vers leurs occupations quotidiennes, la jeune mère est restée près de nous, reconnaissante qu'une étrangère l'ait accompagnée pour accomplir la fin des rites. Toutes deux font sécher leurs vêtements au soleil. À l'aide d'un petit lexique, Jacinthe et moi finissons par comprendre ce qu'elle raconte. Son nom est Konman, ce qui veut dire « la troisième » : dans les familles nombreuses indonésiennes, on prénomme l'enfant par le nombre de son arrivée ou par le jour de la semaine où il est né. Mardi était le nom de son fils de quatre ans, happé par un chauffard, un touriste hollandais qui selon des témoins s'est empressé de retourner dans son pays. Avec nous, elle est rassurée : nous ne sommes pas de ce pays colonisateur et assassin. Des larmes coulent de ses yeux noirs pendant qu'elle raconte. Elle les essuie d'un mouvement vif rempli d'une haine contenue.

Au coucher du soleil, Konman nous amène chez elle. De la plus riche à la plus pauvre, les maisons à Bali se composent d'unités séparées, des *balés*, l'une où l'on couche, l'autre où l'on mange... Manifestement issues d'une famille très pauvre, une vingtaine de personnes sont rassemblées sur la *balé* réservée à la méditation, un bloc de ciment recouvert d'un toit de chaume. La vieille qui menait le cortège est au centre du groupe, c'est la grand-mère ; elle a enlevé sa blouse, exposant sans gêne ses seins nus et plats qui pendent jusqu'à sa taille, comme si son corps n'était qu'une enveloppe grossière sans aucune importance. Konman et Jacinthe, absentes depuis un instant, reviennent vêtues de blanc. Toutes deux sont resplendissantes. Jacinthe n'a jamais fréquenté les églises et a toujours été contre les salamalecs religieux, mais, au milieu de cette famille nombreuse, je la vois prendre place sur la *balé* de prière, très à l'aise, recueillie aux côtés de Konman. Le blanc agit sur les âmes comme le silence absolu, dit-on en ce pays, un silence qui précède la vie. Dans la danse des mains, les femmes évoquaient la force de Shiva aux multiples bras ensemençant la terre ; ici, les feux de Brahma s'allient à la lumière orangée du coucher de soleil pour évoquer l'esprit de l'enfant parti trop tôt. Le visage de Jacinthe, les yeux clos, est celui qu'elle avait, enfant, quand elle reposait d'un sommeil paisible. Pendant que tous sont à prier les déités védiques, on entend, au loin, le *muezzin*, du haut de son minaret, appeler ses fidèles à la prière. À Bali, toutes religions se côtoient sans problème. La vieille au seins nus, mâchant des feuilles de bétel, n'a pas lâché Jacinthe du regard. Son œil malicieux se tourne parfois vers moi qui suis resté à l'écart.

Le cérémonial terminé, on mange du riz épicé et des légumes. Jacinthe, après avoir remis son propre sarong, enlève de son cou un collier en or serti d'un dragon rouge que je lui avais offert en cadeau et le met autour du cou de la vieille crapaude. La vieille se vêt aussitôt d'une blouse fleurie et tient à ce que Jacinthe nous prenne en photo, elle et moi, se collant sur mon corps comme une femelle en chaleur. À la vue de la photo polaroïd, la vieille démone, d'un geste leste, me pince les tétines de ses deux mains et me les tord jusqu'à ce que je crie de douleur : elle m'a lâché, mais rit de plus belle, fière de son geste, et tous autour de rigoler. Le dragon rouge du collier a sûrement éveillé en elle quelques obscénités. Elle, qui a dansé avec la mort, maintenant l'incarne d'un rire démoniaque, avec sa peau sur les os et sa gueule rouge de délire. Pendant que je me frotte les tétines, Jacinthe rigole avec les autres. La vieille m'a sorti brutalement de mes élucubrations brahmaniques. Elle m'a ramené sur terre et ma fille s'en réjouit. L'image du père en prend un coup. Je finis par rire moi aussi. Nous nous quittons dans les rires...

Exténués par cette journée hors du commun, nous convenons de nous coucher tôt, mais l'œuvre du dragon souterrain n'est pas terminée.

Au milieu de la nuit, je suis réveillé brusquement. Jacinthe, paniquée, au-dessus de moi, me secoue les épaules en criant :

— Papa a a a ! Y a des ra a a ats !

J'ai l'impression que le toit de chaume s'écroule sur nos têtes. Réveillé tout à fait, dans le clair-obscur d'une pleine lune, j'ai juste le temps d'apercevoir, sur une poutre transversale au-dessus de nous, un mulot qui s'enfuit en trottinant. On frappe à la porte ! C'est le gardien du motel, qui couche dans un hamac, à la belle étoile, tout près. Il a un coutelas à la main, prêt à pourfendre tout voleur. Jacinthe pleure et tremble de tout son corps en racontant. Elle a été réveillée par les rats, cinq ou six. Elle a eu peur d'être mordue par ces rats, une peur panique.

Le gardien abaisse son coutelas en rigolant et essaie de la rassurer :

— Ces rats ne sont pas dangereux. Ils ne reviendront pas. Ils ont eu peur. Ce sont des petits rats des champs. Avec les égouts à ciel ouvert et les rizières en terrasse autour, il est normal qu'il y ait des rats, mais ils n'ont jamais attaqué l'homme. Ils en ont peur.

En serrant Jacinthe contre moi pour la calmer, je prends conscience de ma nudité. Le gardien aussi est nu. Il s'en excuse, cachant son sexe de ses deux mains, le coutelas en avant. Le temps que j'enfile un pantalon, il est déjà reparti. Je rigole de la situation, mais Jacinthe n'a pas envie de rire, tremblante au bord de son lit. Elle a toujours eu en horreur tout ce qui grouille, grenouille ou gravite à ras terre ou sous terre. Cette nuit, elle a besoin que son papa la rassure, la protège. J'adhère avec tendresse à cette pulsion : je l'aide à se recoucher, la borde de ses couvertures, mais ce n'est pas suffisant. Elle tient absolument à ce que je lui raconte une histoire pour l'endormir, comme quand elle était petite. Tous les soirs, je devais réinventer le monde, peuplant son univers de personnages fabuleux, d'animaux fantastiques ailés traversant les galaxies.

Je lui raconte alors l'histoire de Ganesha, figure vénérée de l'hindouisme, le fils de Shiva :

— Ganesha est un monstre, moitié homme, moitié animal : il a une tête d'éléphant avec une grande trompe, des oreilles énormes battant au vent et deux défenses cassées. Il est glouton, a une grosse bedaine flasque parce qu'il s'empiffre et ne se prive de rien. Il représente l'intégralité de la pensée humaine. Il est aussi coiffé d'un diadème pour démontrer sa force, son pouvoir, grotesque et solennel à la fois. Il ne peut se déplacer seul tant il est gros, ses jambes atrophiées. Une toute petite souris le transporte. Elle a beaucoup de mal à cause de son manque de carapace mais elle s'y astreint parce qu'elle est fière d'être le véhicule de la pensée humaine...

Jacinthe m'embrasse et se retourne sur le côté, apaisée. Je la dorlote en un dernier murmure et effleure son front d'un baiser, comme je l'ai si souvent fait avant de la laisser dormir dans ses nuits d'âge tendre.

Étendu sur le dos dans mon lit, il m'est impossible de trouver le sommeil. Pendant que je lui racontais l'histoire du burlesque Ganesha, des images de ma propre enfance hantaient mon esprit. L'usine de mon père était construite près d'une rivière polluée infestée de gros rats.

Un soir, tard, fasciné par ce qu'il peut bien trafiquer seul dans le noir, je m'introduis dans son usine par une fenêtre entrebâillée. Le bureau, entouré de grandes vitres, est situé dans un coin, sur un plancher surélevé. À la faible lueur d'une petite lampe, il travaille sur des plans avec, comme seuls outils, un crayon, une règle et un compas. Cette ombre penchée sur ses travaux ne fait qu'amplifier le mystère l'entourant. Mon père m'apparaît alors comme un être inatteignable, un alchimiste manipulant les forces de l'Univers. Mes yeux s'habituant petit à petit à l'obscurité, je distingue, avec grande stupéfaction, quatre énormes rats, les pattes d'en avant appuyées sur le rebord de fenêtre, le regardant travailler. Pris de panique, je déguerpis et me réfugie dans ma chambre, livide de peur, tremblant sous les couvertures. S'ensuit une nuit de cauchemars où mes pieds sont dévorés par les rats sans qu'aucun sang ne coule, pendant que mon père s'occupe à diriger un chantier de construction sur une des rives de la rivière. On creuse pour les fondations ; la terre est infestée de rats d'égout surgissant de partout pour me dévorer. Je réussis à fuir et dérobe la carabine de mon père ; fou de rage, caché derrière une butte, j'en trucide des dizaines dès qu'ils sortent de leurs trous boueux. Soudainement, un énorme rat se présente tout près de mon visage, trop près pour que je puisse le tuer ; il me fixe, me captive, me sourit ; son corps passe du gris à un blanc laiteux, devient flasque et se fond en une forme grandissante, envahissante, épousant les contours d'une femme sensuelle dans le corps de laquelle le sang afflue pour colorer le blanc aqueux. J'ai mal partout, comme si la transmutation se produisait dans ma peau et mes os. Brusquement, le décor change. Je suis dans une grange, couché dans un tas de foin, sur le corps du rat transmué en Marilyn Monroe nue : je raffole de ses odeurs, de toutes les odeurs qui nous entourent, m'enivre de ses formes pleines, me délecte de ses lèvres pulpeuses, découvre ma sexualité en la pénétrant.

Par le plaisir morbide à détruire ce qui provient de couches souterraines, ce qui est sale et dégoûtant, je nais au plaisir, à l'érotisme, aux délices et à la luxure de l'univers onirique...

Encore aujourd'hui, l'évocation de ce rêve stimule mes zones érogènes. Dans ma tête, j'ai neuf ans. Prenant mille précautions pour ne pas perturber le sommeil de ma fille, seul au lit, je rigole en me masturbant sous les couvertures. J'évoque l'érection du taureau d'or à la verge noire représentatif du dieu Shiva. À cinquante ans, j'apprivoise la mort. Les dieux copulent comme dans les bas-reliefs des temples hindouistes! Je n'ai jamais cru, comme le proclament plusieurs religions, qu'il faille se priver du plaisir des sens pour atteindre une vie spirituelle. Le corps, qu'il faut savoir édifier à travers ses âges, est le temple de l'esprit. Aujourd'hui, j'ai neuf, dix, douze ans. Demain, j'en aurai peut-être quatre-vingts. Soulagé, je finis par m'endormir en regardant ma fille dans le clair-obscur de la nuit, heureux de l'avoir enfin emmenée avec moi en voyage…

Je suis sur une mer déchaînée, en pleine nuit, en pleine tempête; j'enfourche une bête qui plonge et replonge; j'en perds le souffle, j'avale l'eau salée. Je glisse sur son dos et m'agrippe aux écailles de la bête, un serpent long d'une dizaine de mètres. Je suis près de sa tête. Ses yeux torves me cherchent. Il fait tout en son pouvoir pour me désarçonner, mais je me colle à sa peau visqueuse. Les ongles arrachés, les doigts saignants, j'emplis mes poumons d'air aussitôt qu'il ressurgit hors de l'eau. Sa gueule béante voudrait me happer. D'un ultime mouvement violent de son échine, il me lance au cœur de l'ouragan, dans l'œil du cyclone. Pris dans un tourbillon infernal, je crois mes derniers jours arrivés, que je vais éclater. Tout se calme soudain. Les rayons du soleil percent la tempête et resplendissent de mille feux; je suis au centre, porté par les chauds rayons. Mon corps subit une transformation idyllique: je suis une femme aux longs cheveux ondulés plongeant dans la mer, épousant le mouvement des vagues, la chevelure resplendissante de lumière; mon corps, au ralenti, se pose sur le dos de ce que je croyais être le monstre. Je l'enfourche et découvre que ses dents sont les notes d'un clavier d'ivoire; son dos, entre mes longues jambes, est d'un piano de rêve qui flotte comme un cheval blond au trot; les notes du

*clavier jouent seules une mélodie envoûtante qui pénètre
mon sexe de femme jusqu'à mon cœur rouge devenu fleur
épanouie à la corolle sensible.*

Je me réveille en me touchant les testicules et le pénis
pour me rassurer, avec la sensation étrange d'émerger du
fond des mers et d'y découvrir une vérité première :
l'être humain, à l'origine, était hermaphrodite, et
l'amour, depuis des millénaires, n'est que quête insatiable pour retrouver la *materia prima.*

Un an avant sa mort, mon père a dessiné les plans
d'une boîte de piano et l'a fait construire par ses
ouvriers. Sentait-il sa fin venir ? Voulait-il apprivoiser la
peur du vide, créer une musique pour l'accompagner
dans son voyage ultime ? Je revois ses gros doigts noueux
s'appliquer à faire des arpèges, *ad nauseam...* Je reste sur
le seuil de la porte du salon, fasciné par les exercices
auxquels il s'astreint, obnubilé par ce père distant s'entourant de mystère. L'enfant Guillaume absorbe sans le
savoir son attirance vers l'art, sa planche de salut, son
exutoire, seul véritable legs de son père. L'art, la
musique, le théâtre, le chant, il me faut sortir de ma
prison ! Et dire que je suis le seul enfant de la famille à
qui on refuse des leçons de piano, sous prétexte que j'ai
une belle voix et que je dois me consacrer au chant. Je
chante en solo à l'église, avec une voix de soprano qui
fascine mes éducateurs, les attire. Mes parents en sont
très fiers ! Et moi, je suis de plus en plus frustré parce
que ces bons frères et ces bonnes sœurs viennent se
coller au « beau petit Guillaume à la belle voix ».

Aujourd'hui, ce piano de lumière, rebut de ma
mémoire d'enfance, m'éveille à l'androgynie, me
transforme en une femme de désir, être de rêve, déesse
asiatique !

Chapitre trois

Je sais tout du passé, du présent et de l'avenir.
Je connais aussi tous les êtres ; mais moi,
nul ne me connaît.

BHAGAVAD-GITA

DEUX MAGNIFIQUES OISEAUX descendent du ciel. Les deux danseurs les personnifiant touchent à peine les marches du long escalier. Ils volent, fragiles, déployant leurs ailes d'un blanc duveteux. De toute part, un chant continu nous parvient ; des voix de femme, d'homme et d'enfant englobent l'espace par ce récitatif : *Ramarama-ramaramarama...* Arrivée sur scène, la femelle replie ses ailes sur son corps, recroquevillée sur elle-même ; en douceur, le mâle la monte en un rituel d'amour à couper le souffle. Un chasseur arrive précipitamment et décoche une flèche au cœur du mâle ; une tache rouge éclabousse le blanc duvet... Le chant s'est arrêté. La danseuse lance un cri d'oiseau, un cri de douleur. Son cri se mute en une longue plainte accompagnée par la musique percutante du gamelan pendant qu'elle dépouille le mâle de ses ailes, le dénudant de sa vie d'oiseau ; le corps d'humain sans artifice s'écroule, nous révélant une image crue de la mort. Un autre homme surgit et maudit pour l'éternité celui qui vient de tuer l'amour :

« Le reste de tes jours, crie-t-il, tu vas vivre sans compagne. » Le chasseur s'enfuit. Dans le silence, l'homme referme les ailes affolées de l'oiselle, la soulève et berce sa peine.

Ainsi débute la représentation du *Ramayana*, un ballet qui dure plus de six heures. On est sur l'île de Java, dans un théâtre à ciel ouvert, près du temple de Boroboudour, où une douzaine de statues dorées du Bouddha, chacune dans une position différente de *mudrâ*, sont exposées sous des cloches de grès ajourées de multiples petites ouvertures triangulaires. On doit faire un effort pour découvrir chacune de ses positions de mains reflétant différents états d'âme. Ce temple millénaire a été initialement édifié près d'un volcan pour apaiser les dieux qui ont fait éclater le nombril de la Terre.

Valmiki, l'homme qui berce l'oiselle affligée, est le premier poète qui a raconté l'histoire fabuleuse de Rama, incarnation divine, une légende d'amour datant de sept cents ans avant notre ère. On dit de ce poème éternel qu'il donne bonheur, fortune et longue vie à ceux qui le jouent, le dansent, le chantent ou le regardent, ce qui se fait encore partout sur le continent asiatique, dans différentes formes et versions. Valmiki, à l'origine, était un petit voleur qui fut condamné à répéter *ad finitum* le mot *mara*, qui veut dire « voleur » ; à répéter sans cesse ce mantra, inconsciemment, il évoquait tout à la fois Rama, l'incarnation de Vishnou sur Terre. Au fil du temps, il reçut l'illumination, accueillit l'inspiration fulminante de Brahma, transmuant son âme de criminel en celle d'un poète en quête perpétuelle d'amour. Il apprit à écrire le sanskrit et transcrivit en des milliers de pages l'histoire de Rama envoyé sur Terre pour sauver l'humanité du grand danger qui la menaçait, un danger qui s'incarnait en Râvana, le chef des *rakshasas*, force du mal, le monstre aux neuf têtes qui voulait gouverner l'Univers.

Rama, né d'une reine, rencontre Sita, qui, elle, provient de la terre ; son nom veut dire « sillon » : son père l'a trouvée en labourant un champ. Dès que Rama aperçoit Sita, il en tombe éperdument amoureux comme l'avait prédit Brahma, le dieu de feu, mais Rama, une fois sur Terre, ne sait plus qu'il est Vishnou incarné. Il épouse Sita, il épouse la Terre. À la suite d'intrigues de cour, Rama est banni par son père, le roi, qui doit suivre son *dharma*, la loi du destin. Le roi en mourra de chagrin tant il aimait ce fils qu'il se voit forcé de condamner à vivre pauvrement, en forêt, pendant quatorze ans. Rama veut s'exiler seul, mais Sita se révolte contre ce *dharma* et décide de l'accompagner partout où il ira. Après mille péripéties en forêt, Rama, accompagné de Sita et de Lakshmana, le frère de Rama, qui a renoncé à tout pour devenir son compagnon d'armes, arrivent enfin à confronter les *rakshasas*, ces bêtes immondes. Ils en massacrent des dizaines, mais Râvana aux neuf têtes, un jour, aperçoit Sita, nue, prenant un bain dans les eaux d'une crique. Même si ses sens, tous les jours, sont comblés par des dizaines de femelles l'entourant, à la vue de cette beauté sublime, il devient fou de convoitise, sa bestialité est décuplée, il veut posséder Sita. Après de multiples batailles, intrigues et subterfuges, il réussit à enlever Sita. Elle sera sa prisonnière pendant plus d'un an, mais restera toujours fidèle à Rama. Râvana ne pourra que se morfondre de désir inassouvi. S'ensuivent des guerres terribles, des tueries innommables, apocalyptiques, impliquant des miliers de personnes et de bêtes. Rama, finalement, réussit à tuer Râvana ; il ramène Sita vers sa ville de montagne. Les habitants jalonnent sa route de lampions allumés.

Depuis, à cette même date, sur le continent asiatique, que ce soit en Inde, en Indonésie, en Birmanie ou au Viêt-nam, on célèbre le jour des lumières, le *Diwali*.

L'idéal féminin s'incarne devant mes yeux ! Sita, la danseuse aux longs cheveux d'ébène, est la déesse de mon rêve androgyne. À travers les éclairages scéniques, les couleurs de l'arc-en-ciel enrobent son être. J'ai nettement l'impression qu'une divinité me visite, effleurant mes sens d'une jeunesse revivifiante.

Un vieux monsieur qui était assis près de nous pendant la représentation, un Européen, musicien-compositeur qui vient faire son tour dans les îles une fois l'an, nous explique à l'entracte que Kagong K., le chorégraphe, a une école en banlieue de Yogyakarta et que les rôles principaux sont tenus par ses meilleurs élèves. Les autres danseurs, une centaine, sont des amateurs provenant de Yogyakarta.

— Les Indonésiens, nous confie-t-il, depuis la chute de Suharto, actualisent cette histoire millénaire. Suharto représente le Râvana des temps modernes, un dictateur, un monstre, un politicien magouilleur qui a fait chuter Sukarno, le véritable libérateur de l'Indonésie, qui, lui aussi, a fini par être corrompu par le pouvoir. Les neuf têtes de Suharto sont les membres de sa famille qui exploitent le peuple d'une façon éhontée depuis trente ans. Ses représentants dans toutes les îles forment l'image même des *rakshasas*, ces monstres d'hypocrisie qui peuvent changer de forme à volonté, de la plus doucereuse à la plus belle, dans le seul but de tromper et de s'engraisser comme des porcs sur le dos des plus démunis. Le peuple est toujours en révolte, surtout à Djakarta, la capitale, où éclatent des émeutes de plus en plus violentes. Habibi, le remplaçant de Suharto, est un de ses sbires ; on veut l'abattre lui aussi.

Jacinthe n'a cure de ces considérations politiques. Elle est subjuguée par la représentation. Elle aimerait s'astreindre à une nouvelle discipline, soumettre son corps à ce qu'elle a touché, à Bali, dans cette danse des mains improvisée au-dessus de la fosse de l'enfant. Elle tient à rencontrer le chorégraphe.

Kagong, un homme dans la soixantaine, petit, tout en rondeur, est d'une affabilité accueillante ; il l'accepte dans son école pour un stage de quinze jours. Jacinthe est aux anges.

Dès le lendemain, nous nous y rendons : un véritable domaine où il accueille des élèves, triés sur le volet, une vingtaine, provenant de plusieurs îles. Xanana, celui qui danse Rama, vient du nord de Sumatra, une contrée sauvage. Il se distingue nettement des autres élèves, le cheveu noir long et bouclé, la peau brune, le regard intense, le menton carré. Fascinée par son allure, Jacinthe lui propose aussitôt de le photographier. Il y prend un malin plaisir, s'exposant sous tous ses angles, faisant danser ses doigts tout près de son visage dans différentes positions ; des mouvements de mains qui, pour l'Occidental que je suis, pourraient paraître efféminés, mais le regard qu'il pose sur Jacinthe ne comporte aucune ambiguïté. Il la dévore des yeux, la désire. J'en suis gêné, d'autant que ma fille en est visiblement émoustillée. Entre deux déclics de son appareil, elle me jette un regard amusé. Veut-elle me défier par son attitude ? Combat-elle en elle-même la petite fille ? Je lutte pour ne pas perpétuer le père qui a marqué mon enfance. Je me dois d'accepter la sensualité de ma fille, sa liberté, même si elle en ressort meurtrie ; c'est sa vie à elle. Je l'amenais en ce voyage pour son émancipation et c'est moi, à cinquante ans, qui ai du mal à avoir l'esprit ouvert. Pour la première fois, je suis témoin du jeu de séduction s'exhalant du corps de ma fille, un corps que j'ai vu se transformer au fil des ans, et j'en suis gêné, comme si ce jeu me dépossédait de mon amour pour elle.

À l'âge de seize ans, après sa première aventure amoureuse, elle était venue me demander conseil, se sachant malhabile avec un homme, disait-elle, inexpérimentée. À son grand étonnement, je lui avais répondu qu'elle s'adressait à un homme inexpérimenté dans les conseils érotiques à donner à sa fille. J'avais conclu cet entretien en affirmant que, dans l'acte sexuel, comme dans la danse ou au théâtre, tout est toujours à réinventer, même si on pense que tout a déjà été fait, et que le seul guide, le seul maître, c'est l'amour.

— Tous les maux de la Terre, lui ai-je dit, le viol, la possession de l'autre, le désir de pouvoir, la guerre, proviennent de ce manque d'amour, piège qui nous guette tous, notre véritable combat...

De cet entretien, j'étais sorti épuisé, tournaillé dans mes émotions, pensant que ce que je venais de dire n'était que lieux communs. Aujourd'hui, j'ai peur de ce Xanana, ce beau gars, ce héros, ce Rama sorti de la légende. Je ne connais que trop ce monde de l'illusion. J'ai peur que ma fille soit piégée comme je le fus : amoureux du mythe, fuyant la réalité. Mais quelle est-elle, cette réalité ?

Nous menant au pavillon qu'il nous a réservé, Kagong nous apprend que son nom provient de la théâtralité indonésienne, un surnom de clown qui lui a collé à la peau dès le début de sa carrière ; son physique le condamnait à danser les rôles comiques, un sort qu'il avait du mal à accepter. Très vite, il s'est intéressé à la chorégraphie.

Pour la première fois depuis le début du voyage, Jacinthe aura sa chambre, séparée de la mienne par une grande pièce de séjour. Elle en respire d'aise et je la comprends : il n'est pas facile de vivre en présence constante de l'autre, nuit et jour. Autant chez sa mère que chez moi, elle a toujours pu se retrouver dans son univers à elle, dans sa propre chambre.

Dès le lendemain matin, Jacinthe est à son cours, dirigé par Kagong et son assistante qui exécute pour lui les mouvements. Les exercices auxquels on l'astreint m'apparaissent assez simples, mais Jacinthe a beaucoup de mal à les exécuter. Même si elle a cinq années de pratique quotidienne de danse dans le corps, elle aborde une technique à l'opposé de la sienne. Je laisse tomber ma caméra-vidéo, mon œil de voyeur qui gravitait autour, et m'éloigne de la scène, sentant que ma présence ne fait qu'ajouter à sa gêne. Après deux heures de dur labeur, je la sens faiblir, elle arrête tout, elle pleure. Kagong la rassure en lui disant :

— Maintenant, tu es prête à commencer ; il faut absolument oublier tout ce que tu as appris jusqu'ici, ne plus t'y référer.

Pendant la pause, je découvre que Tinila, l'assistante, est celle qui danse Sita. Sur scène, elle était l'image de mon rêve, une déesse. Dès qu'elle se met à bouger, à danser, elle rajeunit de dix ans. Je n'ai d'yeux que pour elle. Tinila étudie la danse avec Kagong depuis l'âge de quatorze ans et en a maintenant trente-cinq ; elle est mariée au fils de Kagong et a un fils d'un an et demi qu'elle emmène partout avec elle. En me racontant son histoire, tout naturellement, elle fait un geste qui me trouble : portant son enfant sur sa hanche, elle se découvre un sein pour lui donner la tétée. L'enfant agrippe le sein de ses deux mains et suce avec délectation. Je fixe ce sein, ce téton de rêve ; je dois détourner mon regard. Mon trouble est évident. Je l'entends me dire, amusée :

— Ici, on nourrit les enfants au sein jusqu'à l'âge de deux ans et j'aime adhérer à cette tradition même si parfois c'est contraignant.

Jacinthe me sourit, comme si mon malaise la rassurait, lui donnait des forces pour affronter ses propres peurs. Elle connaît mon attirance pour l'autre sexe, surtout quand il est magnifié ; je sens même une complicité s'établir entre elle et Tinila dès cet instant. Comme le Râvana du *Ramayana*, je ne peux que me morfondre de désirs qui ne peuvent être assouvis ; elle est mariée et je n'ai plus la jeunesse d'un Xanana pour la séduire. À mon grand soulagement, pour les deux autres heures de cours de cette première journée, Tinila restera seule à seule avec Jacinthe : ainsi en a décidé Kagong. Avant de les laisser, il dit à Jacinthe :

— Quand les dieux dansent, il faut aspirer à une parfaite maîtrise de tout son corps, du bout des doigts jusqu'au bout des pieds. Même la position des yeux a son importance afin de rétablir l'harmonie entre ciel et Terre.

Kagong m'emmène visiter son musée privé : il est aussi un peintre connu partout en Indonésie. Je reconnais son style, j'ai vu de ses toiles exposées dans un musée à Bali ; la majorité de ses tableaux figurent des danseuses en mouvement. L'une des toiles se démarque et je suis happé par l'intensité qui s'en dégage. Trois lacs de cratères du volcan Kilimutu, une merveille située sur l'île de Flores ; l'un des lacs est blanc, d'un blanc animé de traits vert mer, l'autre, rouge feu, et le troisième, noir, bleuté de profondeur. Les teintes sont imprégnées de vie sous-jacente.

— Ces trois lacs représentent pour moi les trois âges de la vie, me confie-t-il ; j'ai visité ce volcan plusieurs fois. Sukarno y avait médité avant de prendre une décision qui a bouleversé nos vies : la déclaration de l'indépendance de l'Indonésie. Le lac blanc, c'est le silence, la lumière de l'aube, l'enfance de l'être, la naissance d'une nation. Vishnou, porteur du monde, s'exprime dans les traînées vertes produites par les émanations de soufre, elles contiennent les secrets de la vie, l'éveil des eaux primordiales. Le lac rouge évoque le feu, le sang, la couleur du cœur, il est femelle et mâle, le couple, la chaleur, l'intensité, l'action, la passion, il est feu créateur de Brahma, feu de l'âge adulte ; il est aussi feu de guerre, de meurtre, de carnage, de sang répandu inutilement. À ma dernière visite des lieux, en marchant sur la passerelle près du lac rouge, une force m'a soudainement stoppé ; j'étais seul au sommet, paralysé, forcé de m'asseoir et de méditer. J'ai ressenti aussitôt une chaleur intense comme si j'étais chaviré à l'intérieur du cratère, dans ses eaux de feu et de sang. À une vitesse effarante, des événements importants de ma vie ont défilé : mes séjours en Europe, à New York, au Japon, mes études, mes réalisations, et cette école où, depuis vingt ans, nous accueillons de plus en plus de visiteurs de partout dans le monde. J'étais pénétré de rouge, ballotté dans tous les sens. Des flammes précipitaient les images, les recréaient. Soudain, un seul événement occupa l'espace, je le revis dans les détails tel que je l'avais vécu, un événement qui tourmentait ma conscience. Pour célébrer le dixième anniversaire de la prise de pouvoir du Timor oriental par l'Indonésie, on m'avait demandé de chorégraphier un spectacle à grand déploiement à Dili, la capitale, impliquant le ballet *Ramayana*. J'ai accepté. Il me fallait choisir. Mon école est subventionnée par le ministère de la Guerre. Si je refuse, je perds l'école. Les festivités ont duré une journée entière, entourées, surveillées par des centaines de milices et de militaires indonésiens. Le peuple timorais indépendantiste en était exclu. Du lac rouge, j'ai vu se dérouler dix années de massacre de civils sans défense. Le sang coulait et j'avais orchestré la célébration de ces atrocités. Les remords me torturaient. Aujourd'hui, par référendum, les Timorais ont choisi l'indépendance, leur naissance comme nation, leur lac blanc verdi d'espoir, mais les milices et les militaires, comme les *rakshasas* du *Ramayana*, ne veulent pas lâcher le morceau : on met le feu à leurs maisons, on les force à fuir par centaines sur les routes. Ils se réfugient dans les montagnes du Timor occidental, crevant de faim et de soif... Seule une force internationale pourra jouer le rôle de Rama, rétablir la paix, laisser ce peuple naître à son indépendance. Après ces visions rouges, je me suis rendu méditer au bord du cratère aux eaux noires : tout de suite, une lourdeur a envahi mon être, le noir abolissant le rouge obsédant. Les eaux bougeaient, je glissais dans le surréel ; le noir bleuissait d'absolu en une évasion profonde, des teintes que j'ai essayé de traduire dans mon tableau, un bleu qui s'éclaircit jusqu'au lapis-lazuli pour s'étioler en une lumière blanche, l'absence du corps, l'esprit, la mort, et le vert humus du premier des lacs pour renaître. Une heure à méditer pour que cette révélation me parvienne ; j'y ai perdu la notion du temps. J'avais soixante ans, j'abordais la dernière phase de ma vie, mon lac noir et, pour la première fois, je cessai d'avoir peur de la mort ; je l'accueillis. Je pus alors me redresser, libéré. Je n'y pouvais rien, la loi du *dharma* suivait son cours, comme dans le *Ramayana*, cette légende millénaire qui m'en apprend encore, bien que j'ai dû la chorégraphier une dizaine de fois. Depuis, je délègue de plus en plus les cours de danse et les chorégraphies des spectacles à Tinila et à mon fils. Je consacre mon temps à la peinture.

Tout en discourant, Kagong m'avait mené à son lieu de méditation, une petite pièce rectangulaire, nue, avec seuls un tapis blanc au plancher et une grande fenêtre à gauche ouvrant la vue sur la nature : des arbres en fleurs sur deux coteaux et un ruisseau tranquille coulant au creux du vallon. Triste constatation : des tas de détritus, papiers, chiffons, rebuts, jonchent les pentes du coteau. Kagong pourrait porter plainte auprès des autorités, mais il préfère s'abstenir, sachant très bien que c'est une protestation de la part de voisins en révolte contre les privilèges qu'on lui accorde.

À l'un des bouts de cette pièce, peintes au mur en

demi-cercle, environnées de couleurs étincelantes, resplendissent les images de Shiva, Brahma et Vishnou, avec au-dessous, stylisés en quelques traits lumineux, Jésus et Bouddha, côte à côte.

— Quand je n'ai pas de modèle à ma disposition, ce sont ces personnages que j'aime peindre. Ils me sont une source inépuisable d'inspiration. La forme change constamment, mais l'esprit est toujours présent.

Après cet exposé qui m'ouvre vive son âme, le silence entre nous s'impose. Kagong s'assoit en position de lotus, face aux images ; je prends la même position, en retrait. J'essaie de l'imiter mais doute fort de mes capacités à faire le vide comme lui semble y accéder. Maintes fois, je me suis exercé à la méditation, sans jamais m'y sentir totalement à l'aise.

Il y a une vingtaine d'années, je me préparais à jouer le rôle d'un homme vivant seul sur une île à l'état animal. Une pièce à deux personnages. Un civilisé atterrit sur l'île et s'emploie à éduquer le sauvage et à l'initier à la foi chrétienne. Au fil du déroulement de la pièce, les rôles s'inversent. À la fin, le sauvage, enfin civilisé, tue l'autre, le fait griller sur la broche et mange le corps de cet ami miraculeusement tombé du ciel afin de s'imprégner totalement de son être. Après un mois de répétition, nous prenons une pause de quinze jours. Je suis insatisfait du travail accompli. J'ai envie de jouer avec les effets d'éclairage sur mon corps tatoué ; tout est ressenti à fleur de peau ; je veux réinventer le verbe, rugir, siffler, hennir avant d'articuler la parole. Pour tout dire, l'osmose ne s'est pas encore produite ; mes rêves sont peuplés d'animaux fabuleux envahissant la terre, les eaux, l'air, se battant l'un contre l'autre, reptiles et mammifères, recréant un univers qui me laisse épuisé au réveil. Durant la première semaine de cette pause, j'ai besoin de m'isoler, de me concentrer. Je me retire dans

un monastère construit par Le Corbusier, ce grand
architecte de la règle d'or. La cellule de moine que
j'occupe a la même forme rectangulaire que celle où je
suis maintenant mais est plus restreinte et plus en lon-
gueur. À cause de cette forme longitudinale, le regard
est constamment porté vers la fenêtre, qui ouvre sur la
cîme des arbres et sur le ciel ; on ne peut jamais voir la
terre, ce qui mène au retour sur soi. La terrasse, située
sur le toit, est emmurée à la hauteur de l'œil, ne décou-
vrant que le ciel changeant. Je passe presque toute la
semaine entre ma cellule et cette terrasse, laissant mon
esprit errer, absorbé par ce à quoi mon corps s'est exercé
depuis un mois : mes sens s'aiguisent, une cohésion
s'organise sans effort de volonté, un changement
s'infiltre dans mon esprit ; la souplesse pénètre l'âme, la
psyché, je deviens autre, prêt à épouser mon instinct sans
être déboussolé. Le Corbusier, en créant cet
environnement moderne qui s'inspirait de l'architecture
d'un certain monastère du Moyen Âge, me donnait ainsi
accès à ce que j'imaginais être la méditation. Pendant la
deuxième semaine de cette pause, la metteure en scène
m'invite chez elle, en Angleterre, dans la magnifique
campagne du Sussex. Une grande maison vidée de ses
meubles anciens ; une écurie délabrée, envahie par les
mauvaises herbes ; un domaine laissé en état de per-
dition ; des champs à perte de vue, en friche. Cette amie
peut passer des heures, assise devant un grand chêne
centenaire, à méditer, les yeux fermés. Elle veut que je
m'y astreigne pour mieux me pénétrer de l'esprit de la
pièce, mais après ma semaine de reclus où l'architecture
me menait sans effort à la réflexion, là, en pleine nature,
j'abandonne au bout de cinq minutes. Je pars pour de
grandes randonnées dans les champs et forêts laissés à
l'abandon, accompagné d'une grande chienne, une
femelle Labrador d'un an, folle de se retrouver à mes
côtés en pleine forêt. Avec cette chienne, originaire de

Terre-Neuve, je revisite l'univers fabuleux du *Midsummer Night's Dream* de Shakespeare, ma première mise en scène en anglais, effectuée à Terre-Neuve. Je m'amuse... Je récite à la chienne la poésie shakespearienne, je lui fais jouer tous les rôles, elle me répond de grognements et d'aboiements. Je suis tout à la fois Puck, Titania et Obéron, ces maîtres de l'onirisme. Jour après jour, ce que je cherche à incarner depuis un mois prend corps alors que je revisite la poésie de Shakespeare. L'amie metteure en scène a nommé sa chienne Hécate, du nom de cette maîtresse sorcière du *Macbeth*, divinité des ténèbres de la mythologie grecque ; cela me permet d'évoquer cette autre pièce du grand poète anglais. Des années plus tard, dans un petit théâtre de Montréal, j'en monte une version québécoise, d'une poésie crue prenant sa source dans les archaïsmes dont se nourrit notre langue. Les trois sorcières étaient de jeunes et belles femmes. Seul Macbeth les voyait laides : à son approche, les trois actrices se couvraient le visage d'argile verte ; l'argile séchait et craquelait, ce qui les rendait hideuses. Dans cette version scénique, acteurs et spectateurs étaient enfermés dans une enceinte à rendre claustrophobe, sans possibilité d'en sortir du début à la fin. Avant de commettre un meurtre, l'acteur plongeait ses mains et son arme dans un calice de grès rempli d'un liquide rouge sang. Dans tous les milieux théâtraux d'Occident, cette pièce est maudite. Les acteurs s'interdisent même de prononcer le mot *Macbeth* ailleurs que sur la scène, de peur d'attirer sur eux le malheur. Ce n'est pour moi que superstition, je ne veux pas y croire, mais nous sommes pris dans une tornade : les malheurs nous tombent dessus, à répétition, comme provenant d'une force surnaturelle. Jacinthe n'a que deux ans et demi quand ces événements se déroulent, et c'est le début de la fin entre sa mère, qui joue dans la pièce, et moi. Sur scène, le sang coule et, dans les coulisses, on veut s'entretuer. Jamais plus, de près ou de loin, je ne toucherai à cette tragédie !

Est-ce l'évocation du lac rouge par Kagong qui me replonge dans ce flot de sang shakespearien ? Est-ce lui qui me fait voyager dans ces réminiscences ombrageuses ? Dans une semaine, ma fille aura vingt et un ans ; après tant d'années, je croyais ma conscience apaisée et me revoilà plongé dans les mêmes affres qu'il y a dix-huit ans, un gouffre, des abîmes que j'avais chassés de mon esprit, des années à vouloir refaire surface, m'accrochant à l'amour que j'éprouve pour ma fille comme à un radeau ballotté sur une mer de désespoir. J'en ai mal au ventre. À cette époque, tous les jours, dans un esprit suicidaire, la mort est un fantôme qui me poursuit ; ma fille est le seul être qui me raccroche à la vie ; je me dis qu'elle m'a été donnée pour découvrir ce qu'est le véritable amour.

J'entrouvre les paupières pour, soudainement, me sentir relié à Kagong par un cordon ombilical lumineux, de nombril à nombril. Une tempête se déchaîne en mon bas-ventre, un œil de cyclone, une lumière tournoyante qui me pénètre et respire à son propre rythme, grandit et rapetisse comme un diaphragme, un cœur de lumière qui me chavire dans *La Tempête*, dernière pièce de Shakespeare. Je suis Prospéro pris dans des vents tourbillonnants ; mon navire craque de partout, s'échoue avec fracas sur un rocher et coule ; je m'enfonce dans des eaux noires, agrippé à ma fille de vingt ans, mon seul amour, qu'il me faut sauver du péril ; le noir des eaux se clarifie, bleuit, blanchit, nous émergeons à l'air, nouj touchons terre, une île habitée d'esprits menés par Ariel, le maître éthéré des elfes resplendissant de lumière. Je me revois entouré d'une douzaine d'élèves d'une école de théâtre, tous vêtus et maquillés de blanc ; je les fais grimper dans des échelles de corde surplombant la scène, j'essaie en vain de leur expliquer l'androgynie de ces personnages de *La Tempête* : «Shakespeare pressent sa mort, leur dis-je. Il jongle avec les forces de la nature, les sentiments humains les plus vils, représentés par Caliban, ce monstre du souterrain, d'une force brutale, qui se révolte contre Ariel, le maître des elfes.» L'esprit de vengeance de Prospéro, trahi par ses pairs, revient alors me hanter. À une vitesse accélérée, l'action de *La Tempête* se déroule dans ma tête : Prospéro, blessé dans sa quête humaine ambitieuse, assouvit ses passions avant de s'abandonner enfin, de s'ouvrir à un univers spirituel, de laisser sa fille épouser le fils de son pire ennemi, celui qui l'a détrôné ; il se retrouve dans son unité originelle, détaché des passions terrestres.

La tempête dans mon ventre se calme. Une détente envahit tout mon être. Je me rends compte que ces trois pièces de Shakespeare ont marqué trois étapes de sa vie, tels les trois lacs du Kilimutu : le blanc originel où des acteurs amateurs interviennent, *A Midsummer Night's Dream*, teintée de vert printanier, de magie de l'onirisme, de découverte de l'amour ; le rouge *Macbeth*, tragédie du sang, du meurtre, des affres de l'ambition adulte, pièce de feu, de sorcellerie, pièce maudite ; et finalement, son lac noir, sa dernière, pressentant sa mort, où Ariel vole avec ses elfes au-dessus de lui, déjà dans une autre sphère, un monde bleuté qui resurgira dans le blanc verdi d'amour de sa fille pour un jeune homme.

Je comprends tout : les craintes que j'ai ressenties face à Jacinthe photographiant le beau Xanana s'évanouissent. Elles me deviennent même ridicules.

J'ouvre les yeux pour m'apercevoir que Kagong est derrière moi, debout ; il me regarde en souriant, comme s'il m'avait suivi dans ce parcours intérieur que je viens d'effectuer. J'entends encore les paroles qu'il a dites à Jacinthe, qui pourraient s'adresser à moi, différemment :

« Maintenant, tu es prêt à méditer. Il te faut oublier ce que tu as vécu, ne plus t'y référer ; pour s'ouvrir à la méditation, il faut aspirer à une maîtrise de l'esprit, ne pas le laisser vagabonder, nous emprisonner. » Kagong quitte la pièce.

Aussitôt qu'il est sorti, les traits lumineux représentant Jésus et Bouddha, à travers mes yeux mi-clos, se fondent aux images des trois déités védiques. Les images dansent et s'interpénètrent ; au même instant, dans mon bas-ventre, je ressens le point lumineux que Kagong m'a transmis, une lumière qui, cette fois, ne provoque aucune évocation ténébreuse ; elle est là, entité qui respire seule, battant comme un cœur irisé. Que cette lumière d'aube, un point lumineux qui grandit jusqu'à un soleil à son zénith et recommence son mouvement extensible. Shiva aux multiples bras occupe soudainement tout l'espace. Shakti, le pendant féminin de Shiva, apparaît. Mon rêve androgyne prend vie, mon sexe bande comme un arc tendu au maximum. Shiva pénètre son *linga* dans la *yoni* de Shakti, engendrant la connaissance ; son sperme de mercure fertilise la Terre d'un liquide alchimique ; son *linga*, enduit d'huile, est une pierre de jade sculptée d'aspérités métaphoriques, dressée au sommet d'une montagne, baignée du liquide lunaire provenant de la *yoni* sacrée de Shakti : le tellurique et le cosmique s'harmonisent. L'unité originelle se recrée.

Sans que je me sois touché, je viens de retrouver une vigueur d'adolescent. Une fois, à l'âge de quinze ou seize ans, à la seule vue d'une jeune femme affriolante, une éjaculation m'avait ainsi surpris. Jamais je n'aurais cru qu'un exercice de méditation puisse me permettre de copuler avec les dieux de cette terre asiatique. Je quitte ce lieu convaincu que je viens de naître à ce continent.

Tous les jours, pendant quatre heures, Tinila fait répéter à Jacinthe le rôle de Sita. Malgré les difficultés de l'apprentissage, elle se sent valorisée, elle est radieuse, répétant ses mouvements jusqu'à tard, le soir, seule dans sa chambre.

Souvent, j'observe ses répétitions, de loin, caché derrière un arbre pour ne pas la gêner : la *balé* de danse, entourée d'arbres, me permet une telle indiscrétion. Je suis subjugué par le phénomène. Le mythe s'incarne dans ma fille, il est d'une terre nouvelle, aux cheveux roux. Le désir que j'éprouve pour le personnage rêvé de Sita s'atténue. J'en suis à la fois soulagé et tourmenté. Le petit Guillaume en moi refait surface. Je me sens plus vulnérable que ma fille à la veille de ses vingt et un ans. J'envie sa jeunesse. Quand ces réactions d'enfant envahissent le petit Guillaume de cinquante ans, je me retire dans la salle de méditation pour me recomposer, me retrouver dans une lumière qui chasse les sentiments égoïstes. Cette lumière pointe toujours au bas-ventre, et elle monte en moi, de fois en fois, du ventre au plexus, au cœur. L'effet lumineux monte jusqu'à ma gorge, où veulent naître la parole, l'échange, le plaisir de la communication ; la lumière m'atteint alors entre les deux yeux et provoque une détente de mon cerveau, qui, neurones en éveil, se délie. Je visualise l'intérieur de mon corps, un état de sensibilité extrême tout le long de ma colonne vertébrale, qui éclate au sommet de mon crâne ; ma tête est telle une nébuleuse parcourant des années lumière de distance, le *je* n'existe plus, partie d'une vastitude éclatante. La première fois que cela m'arrive, l'espace de quelques secondes, je crois perdre conscience, me désintégrant en milliers de particules, puis je reviens sur Terre, j'ouvre les yeux et redécouvre mes sens comme s'ils n'avaient jamais été utilisés.

«Quand tu fermes les yeux, c'est la nuit ; quand tu les ouvres, c'est le jour.» Telles sont les paroles de Rama à Sita lorsqu'il la rencontre pour la première fois.

Sita, pour persuader Rama de l'emmener avec lui dans son exil en forêt, lui dit : « Il y a une qualité que tu ne pourras jamais avoir, même si tu es le meilleur des hommes, c'est celle d'être une femme. Si tu étais une femme, jamais tu ne laisserais partir seul l'homme que tu aimes. Mon amour pour toi est aussi grand que la Terre, ma mère. »

À quoi Rama répond : « Viens, mon amour pour toi est aussi grand que le Soleil, mon père. »

Le *Ramayana* est devenu mon livre de chevet, dans une version française que Kagong a ramenée d'Europe. Alors que je regarde Tinila transmettre à Jacinthe la gestuelle de Sita, ces phrases d'enchantement me hantent.

Au milieu de la deuxième semaine, alors que je sors du lieu de méditation, une musique de gamelan inhabituelle me parvient, puis des rires quand la musique s'arrête. Je m'approche de la *balé* de danse pour découvrir que la musique ne provient plus d'une cassette enregistrée, mais d'un orchestre de jeunes musiciens, une dizaine, tous dans la vingtaine. À Bali, la plupart des musiciens de gamelan sont âgés et paraissent fatigués de jouer toujours la même musique pour satisfaire les touristes, alors qu'ici ces jeunes sont pleins d'enthousiasme. Ils s'amusent, rigolent entre eux, essaient différents accords de leurs petits marteaux résonnant sur les cloches autour d'eux et recommencent jusqu'à ce qu'ils trouvent le son recherché... Kagong est parmi eux. Xanana est aussi là, au milieu de la piste, avec Tinila, autour de Jacinthe. Tous les deux prennent plaisir à revêtir Jacinthe du costume de Sita : d'abord la coiffure, une tiare de cuir rouge pailletée d'or qui laisse voir quelques mèches de ses cheveux. On la maquille de blanc, une perle rouge entre les deux yeux. Pour se vêtir du sarong ajusté, Jacinthe doit enlever son collant de danse. Xanana effleure le corps de ma fille de ses longs doigts ; Tinila le bouscule en riant et entraîne Jacinthe derrière un paravent. Même si elle ne comprend pas un mot de ce qu'ils peuvent se raconter en javanais, Jacinthe est en pleine confiance, rigolant avec eux. Entre Xanana et elle, l'attirance n'a jamais été aussi évidente. De son côté, Xanana recouvre quelques éléments du costume de Rama. Kagong s'est écarté de la scène et vient se joindre à moi, qui ne me soucie plus de me cacher.

Un silence s'établit. Les musiciens se concentrent sur leurs instruments. Le gamelan entame un air doux et incertain qui accompagne l'entrée en scène de Sita. Jacinthe, pieds nus, la taille enserrée dans son sarong, s'approche à petits pas. Je suis subjugué. Ce n'est plus ma fille qui est là ; je la sens frémir intérieurement, mais elle est en parfait contrôle du geste, une danse artificielle où le mouvement des pieds, des mains, de la tête, des yeux, parfaitement réglé, remplace le sentiment, la fougue, le tourment des danses modernes occidentales ; plus elle se rapproche de Xanana, plus je la sens vibrer, toujours en contrôle. Soudainement, le gamelan joue des notes vives, fortes et guerrières, accompagnées de battements de tambour. Jacinthe se fige. Xanana, un *kriss* dans une main, le masque de Râvana aux neuf têtes dans l'autre, surgit ; de sa main droite, son *kriss* vole dans les airs en zigzags et pourfend l'ennemi d'une main vengeresse ; des dizaines de *rakshasas* imaginaires, plus monstrueux, plus abjects que dans le spectacle, sont massacrés par l'intensité de son regard et de ses gestes. Il est transfiguré, il est Rama, il est Vishnou incarné ; les battements du tambour redoublent de force quand il agite de mouvements saccadés le masque de Râvana de son autre main, un masque possédé de rage ; les notes vives du gamelan tintent de folie étourdissante ; la lame

acérée du *kriss* dans sa main droite voltige de mouvements sinueux, pendant que le gamelan alterne les
rythmes ; un combat différencié d'un côté à l'autre, où
ses jambes, ses bras, ses pieds, ses mains expriment une
force contenue, inhumaine, épeurante. Xanana se retire
soudain et laisse sa main gauche tenant le masque de
Râvana aux neuf têtes être le seul témoin de la suite :
Jacinthe est prise de frissons qui s'expriment par de
légers mouvements des pieds et des mains ; le gamelan
joue un air doux et vif ; les battements du tambour
s'espacent et se taisent. Tinila enlève la coiffure de Sita
et, délicatement, après en avoir humé les parfums, par-
sème sa chevelure de fleurs blanches et rouges fraîche-
ment cueillies. Les tintements doux ne font qu'augmen-
ter la tension qui règne sur la *balé* de danse. Ses hanches
bougeant telle une tige de plante, Sita se réfugie, seule,
derrière un voile transparent, bleu de mer, figurant les
eaux d'une crique ; derrière elle, trône une représentation énorme de Ganesha, en pierre, que je n'avais pas
remarquée jusqu'ici parce que toujours dans l'ombre ; la
statue ne repose pas sur une souris mais sur une fleur de
pierre stylisée entourée de trois crânes : Ganesha est aussi
évocateur du monde des réalités éphémères, ce que sont
la danse, le théâtre... Suivant les notes espacées et mélo-
dieuses du gamelan, lentement, Sita se dénude ; du cou
au bout des orteils, son corps est enduit d'une poudre
rouge. Elle apparaît désincarnée ; les légers tremble-
ments de ses membres expriment la fragilité. Sita prend
un bain, elle effleure des eaux calmes, isolée dans ses
doux ébats par un fort éclairage. Son œil brille. Je suis
subjugué, fasciné. Jacinthe est Sita, une Javanaise aux
cheveux roux ; les fleurs sur sa tête tremblent. Vêtue de
la poudre rouge, elle est diaphane ; son visage maquillé
de blanc transcende ses mouvements. La magie opère et
la musique enchante. On est ailleurs. Xanana a abaissé sa
main tenant le masque voyeur de Râvana. Xanana n'a

d'yeux que pour Jacinthe, il est Rama amoureux de Sita. Les jeunes musiciens sont inspirés, les notes volent, se précipitent et ralentissent, au rythme des mouvements d'une Sita nouvelle.

Kagong me souffle à l'oreille qu'il a plusieurs fois proposé à Tinila d'exécuter cette danse, mais qu'elle n'en a jamais eu l'audace. Kagong est un des seuls chorégraphes indonésiens à vouloir transcender les traditions. Tinila a délégué ses pouvoirs de déesse à Jacinthe, qui se réjouit d'être identifiée à un personnage aux attributs mythologiques. En découlent une complicité, une amitié belles à voir où Tinila reste présente, à l'écart, prête à intervenir si jamais Jacinthe éprouvait une défaillance.

Alors que l'éclairage s'éteint et que la musique se tait, j'avoue à Kagong que ma fille, depuis sa sortie de l'enfance, a toujours été d'une extrême pudeur :

— Je ne l'ai jamais vue nue avant aujourd'hui.

Visiblement ému, Kagong me confie qu'il aimerait bien peindre Jacinthe en Sita tant il est fasciné par sa jeunesse, sa beauté, son exotisme :

— Je n'ai jamais eu un tel modèle à ma disposition, ajoute-t-il, une Sita aux cheveux d'une teinte que j'aimerais apposer sur la toile.

Après la représentation, qui a duré environ une demi-heure, il nous convie, ainsi que Tinila, à manger dans sa maison. J'aurais aimé qu'il invite également Xanana, mais cela ne semble même pas lui effleurer l'esprit.

On est accueillis par sa femme, une Japonaise d'une vingtaine d'années plus jeune que lui qui a pour nom Hikari et qui est vêtue d'un kimono traditionnel. Hikari nous sert à table et reste en retrait, assise sur un banc. Quand je l'invite à se joindre à nous, elle refuse discrètement : elle a mangé avant notre arrivée. Quand il y a des étrangers, elle préfère observer, enregistrer ce qui se

passe, dit-elle, mais, loin d'être la femme soumise, c'est
elle qui mène la barque, on le sent. Il y a quelques
années, elle était venue là pour suivre un stage de danse.
Ce fut le coup de foudre entre le maître et l'élève. Elle a
depuis abandonné la danse pour se consacrer à l'admi-
nistration de l'école.

Après le repas arrosé de saké, alors qu'on est à
prendre le thé sur la véranda et que Hikari s'est enfin
assise avec nous, Kagong, tout près de Jacinthe, prend sa
main dans les siennes et lui demande d'être son modèle.
Il ose même lui demander de poser complètement nue,
sans maquillage :

— Je pourrais ainsi, dit-il, peindre une Sita issue
d'une nouvelle terre.

Hikari ne dit mot, mais son regard sur Kagong est de
feu. Prenant conscience du malaise créé, Kagong se
tourne vers moi et dit :

— Ne vous inquiétez pas, mon cher Guillaume,
entre Jacinthe et moi, j'allumerai un feu : mon intention
est de peindre la scène où Sita doit passer par l'épreuve
du feu pour prouver à Rama qu'elle est restée pure
même si elle a passé un an prisonnière du monstre
Râvana. Si Jacinthe y consent, une seule séance suffira.

Il est dit dans le *Ramayana* que c'est Sita elle-même
qui propose à Rama de passer par le feu purificateur ; elle
n'a pas été souillée par le monstre Râvana, mais Rama est
rempli de doute ; en l'apercevant après cette année
d'absence, il est pris tout à la fois d'une joie indescriptible, de colère et de tristesse. Parce qu'il a peur de la
réaction de son peuple, il veut la chasser. Elle monte
donc sur le bûcher en disant : « Si le doute est sur ma
parole, je ne veux plus vivre. » Elle est déjà dans les
flammes que le dieu Brahma intervient aussitôt, étei-
gnant le feu d'un seul souffle, un coup de vent violent.
Rama entend alors intérieurement ces paroles, qu'il
attribue au dieu de feu Brahma : « Reprends ton épouse.

Elle n'a péché ni par son esprit, ni par ses regards, ni par ses paroles. Sois heureux ! »

Jacinthe, grisée par l'effet du saké, adhère à la demande de Kagong avec l'enthousiasme, la naïveté et l'insolence de sa jeunesse :

— Demain, dit-elle, c'est ma fête, j'aurai vingt et un ans ; ce sera une belle façon de célébrer !

Elle a dit cette phrase en me jetant un regard d'impudence ; je suis à la fois fier et gêné par son audace. Je me tourne vers Tinila, qui, elle, l'œil allumé, s'amuse de la scène ; d'un geste attendri, elle m'effleure la main de bout de ses doigts. Du coup, mes défenses tombent. Tinila attise mon désir.

Ce moment d'élucubration a un dénouement inattendu : Xanana se présente avec, à la main, une cage en osier renfermant un coq de combat. Un ami, provenant comme lui de Sumatra, lui en a fait cadeau parce qu'il aime le voir danser Rama de si belle façon. Il sort le coq de sa cage, lui tient les pattes d'une main et lui caresse fortement le cou de l'autre, faisant glousser le coq de contentement, un animal magnifique, tout blanc avec quelques plumes des ailes d'un noir luisant :

— Ce coq est d'une grande force, dit-il. Il a gagné plusieurs combats.

Avec la même intensité dans le regard que quand il danse Rama, il prend les pattes du coq d'une main, tel un *kriss*, et le fait tournoyer dans les airs au-dessus de la tête de Jacinthe ; le coq, crête dressée, battant des ailes, lance son cri comme s'il annonçait le lever du soleil, une explosion de désir. Xanana le ramène à lui et lui lisse les plumes en lui massant les épaules. Avec des gestes voluptueux, il le replace dans sa cage et nous convie alors à un combat de coqs qui aura lieu dans deux jours, au centre de Yogyakarta. Il se tourne vers Jacinthe et, avec des yeux larges comme une feuille de lotus, comme il est dit des yeux de Rama :

— J'ai montré mon acquisition aux autres élèves, clame-t-il. Celui qui danse Râvana m'a mis au défi de rencontrer son coq à lui. J'ai accepté. Il est jaloux parce que j'ai dansé avec toi et qu'il n'a pu y participer. Il dit vouloir que tu le reconnaisses sans son masque. Moi, j'ai hâte que nos deux coqs s'affrontent.

Après avoir jeté un regard du côté de Kagong, il repart allégrement avec sa cage. Kagong, amusé, me souffle à l'oreille :

— Jacinthe et Xanana sont plongés dans un lac aux eaux rouges.

Dans le *Ramayana*, il est dit que Sita mariera celui qui sera capable de bander un arc gigantesque que personne n'a encore réussi à bander. Rama le bande si fort qu'il le brise et le bruit que fait la corde en se rompant résonne à mille lieues à la ronde, jetant la frayeur dans la cité. À la suite de cet exploit, Sita devient l'épouse de Rama.

Chapitre quatre

Partout ses mains et ses jambes,
ses yeux et ses visages, et rien n'échappe
à son ouïe. Partout est présente
l'âme suprême.

BHAGAVAD-GITA

Pendant que Jacinthe est à servir de modèle à Kagong, j'assiste à une répétition impliquant une quinzaine d'élèves, surtout des filles : une chorégraphie moderne dirigée par Tinila et son mari. Les filles reproduisent un essaim d'abeilles dans des mouvements légers et continus. Je suis fasciné par une grande et grosse fille qui danse le rôle de la reine-abeille. En parfaite maîtrise de sa forte taille, elle démontre une dextérité et une souplesse peu communes ; les autres filles, minces et sveltes, ont du mal à la suivre. L'œil de ma caméra-vidéo revient constamment se fixer sur la reine-abeille, qui porte son poids avec allégresse, le visage rougi de contentement.

À la pause, Tinila me demande de lui montrer, en *play-back*, ce que je viens de filmer. Après avoir visionné le film en accéléré, elle se dit réjouie de constater que la grande et grosse fille occupe la quasi-totalité du film. Elle me propose alors de la rencontrer, croyant que cette jeune élève m'a séduit.

— Non, ma fascination va pour la danseuse ! De toute façon, je n'oserais jamais. Cette élève paraît encore plus jeune que ma propre fille.

Tinila s'amuse de ma réaction, ses yeux brillent, ses lèvres s'ouvrent sur un sourire sensuel, ce qui m'amène à pousser plus loin mon audace :

— S'il y en a une, ici, qui me fascine, c'est toi. Dans le *Ramayana*, j'ai tout de suite été captivé par Sita : tu étais la personnification d'un rêve que j'ai fait lorsque j'étais à Bali.

Sa réaction est immédiate. Elle confie son petit à son mari, attrape un objet et le cache sous un voile bleu, puis me fait signe de la suivre. Nous nous retrouvons dans une petite pièce surplombant l'atelier de Kagong. Nous sommes dans l'ombre. Une large fenêtre ouvre sur l'atelier. Les rideaux sont tirés tout autour. Une luminosité presque surnaturelle est créée par un feu imposant, au centre de l'atelier, et par les rayons du soleil qui entrent par le puits de lumière qu'on a ouvert pour laisser s'échapper la fumée. Visiblement, Kagong ne voulait pas d'un modèle immobile : Jacinthe, à l'écoute de la musique de la veille qu'il a enregistrée, exécute la danse de l'eau sur un plancher de grosses pierres. Totalement nue, sans aucun maquillage, elle est une Sita aux cheveux de feu envoûtée, en parfaite maîtrise de ses gestes, se permettant même d'improviser des mouvements subtils. Kagong, un pinceau d'une main et une spatule de l'autre, n'arrête pas de bouger afin de la percevoir sous tous ses angles à travers le feu qui les sépare. Il revient à sa toile quand Sita s'immobilise sur la musique de Rama combattant les *rakshasas*. Pour apposer les teintes sur la toile, son pinceau, tel un *kriss*, virevolte de mouvements vifs et sinueux ; aux battements du tambour, la spatule entre en action, comme si le monstre Râvana explosait sur la toile dans un cloaque de couleurs. D'où nous sommes, nous ne pouvons malheureusement pas voir ce qu'il peint. Jacinthe s'isole dans sa sphère, tandis que Kagong, à travers la lumière du jour et les flammes incandescentes, semble possédé par Brahma.

La musique s'est arrêtée. De surprendre ainsi ma fille à son insu me trouble. Je me détourne du tableau tant cette scène m'émeut. Tinila me regarde de ses yeux scintillants. Elle sait que je suis troublé. Après un court instant, la musique du gamelan reprend depuis le début. Tinila se met alors dos à la fenêtre et me demande de reculer et de m'asseoir à même le plancher de bois puisqu'il n'y a aucun siège autour, que les tableaux de Kagong rangés le long des murs. Aux tintements légers des cloches, le corps de Tinila bouge en de légères ondulations, épousant les volutes de fumée qui s'échappent par le puits de lumière. J'assiste au jeu des ombres sacrées, du théâtre d'ombres tant apprécié à Bali et à Java ; l'ombre paraît danser dans les flammes, telle Sita entrant délibérément dans le feu pour témoigner de sa pureté. Tinila couvre soudainement son visage du voile bleu contenant l'objet qu'elle a apporté. Dans cette demi-obscurité, je ne vois que ses pieds nus qui voltigent et les voiles qui oscillent. Dans les rites initiatiques de mort et de renaissance, le feu s'associe à son antagoniste l'eau. Sita, née de la Terre, vêtue d'un voile d'eau, accomplit le rite du feu ! Lorsqu'elle laisse tomber le voile, son visage est recouvert d'un magnifique masque blanc aux lèvres d'un rouge écarlate, aux sourcils peints avec finesse, et qui ne laisse voir que ses yeux en amande ; une perle verte entourée d'or resplendit au milieu du front.

Quand la musique de Rama intervient, Tinila change de rythme. Elle danse Rama combattant les *rakshasas*, avec encore plus de *maestria* que Xanana en a démontré. Elle est Vishnou incarné qui brûle intérieurement du feu de Brahma.

Aux battements du tambour appelant l'apparition du monstre Râvana qui veut posséder Sita, elle arrache rudement son sarong et son corsage et apparaît totalement nue. De ses bras et ses jambes jaillit la rage, des arabesques figurant un Râvana déséquilibré. Elle fait montre d'une puissance qui m'abasourdit. Ses seins gonflés de lait frémissent sous ses longs cheveux noirs qui les couvrent. Un volcan gronde, la Terre explose, dans un déploiement de mouvements qui n'arriveront jamais à faire fléchir celle qui est née de la Terre. Ses yeux scintillent d'intensité. Elle se métamorphose en Shiva aux multiples bras, dieu vengeur. Elle est inspirée d'un ailleurs qui me subjugue, me submerge.

Quand la musique légère revient, les dieux redescendent sur Terre. La douce Sita balance alors ses hanches sensuellement, comme une tige de nénuphar flottant sur l'eau. Tel un grand oiseau aux ailes déployées, ses bras enveloppent l'air avec amplitude puis, délicatement, ses deux mains viennent couvrir son pubis à la hauteur de mes yeux. Ses doigts, tel un essaim d'abeilles qui bourdonnent au-dessus de la ruche, butinent ses poils pubiens qui semblent se dresser. Une nymphe naît, un papillon sorti de sa chrysalide surgit du feu. Ses yeux, qui se tournaient tantôt vers le ciel, tantôt vers la Terre, se dirigent alors directement sur moi, ce qui fait renaître instantanément mon désir. Puis, le feu derrière elle décline… La musique se tait. Elle arrête de danser, écarte ses cheveux de ses seins et expose sciemment son corps nu éclairé par les rayons rouges du soleil couchant. Derrière elle, j'entrevois Jacinthe qui se rhabille… Tinila attend. Aussitôt qu'elle les entend sortir de l'atelier, elle vient s'asseoir face à moi en position du lotus ; le lotus est représentatif de Vishnou dormant à la surface des eaux. On dit que du nombril de Vishnou émerge un lotus dont la corolle épanouie contient Brahma. Son corps en sueur vibre ; il est enduit d'un parfum qui m'enivre, et son masque m'hypnotise. Jamais je n'ai vécu une telle théâtrale intimité. Tinila avance sa main, défait un à un les boutons de ma chemise et laisse glisser fortement ses longs ongles sur ma poitrine, y imprégnant sa marque. Je la regarde faire, frissonnant. Elle respire fort sous le masque et ne me lâche pas du regard. Elle m'enlève ma chemise, dénoue mon sarong à la taille, écarte le tissu et effleure mes cuisses. Je suis aussi nu qu'elle mais sans masque pour couvrir mon malaise. Il me faut voir son visage, toucher à sa réalité ; je tends les mains pour lui enlever son masque. Elle m'emprisonne aussitôt les poignets d'un geste caressant et murmure d'une voix assourdie :

— Si tu m'enlèves le masque, la magie va disparaître.

Je laisse tomber les bras, impuissant. Elle glisse alors une main enveloppante sous moi. Ses doigts bougent d'un mouvement à peine perceptible ; ils dansent comme sur ses poils pubiens. Ses odeurs, son toucher, ses yeux noirs qui toujours me fixent sous le masque, sculpture vivante, m'ensorcellent ; ma verge s'anime et atteint une fermeté hors de moi. Les longs ongles de son autre main en chatouillent le gland. Elle dégage ses mains et fait courir vivement ses ongles sur mon ventre, ce qui me procure une décharge électrique le long de la colonne vertébrale. Je suis littéralement happé. L'érotisme gravé de quelque temple hindou s'anime dans mon imagination. Elle saute soudainement sur ses deux pieds. Ses seins grossis de mère en tremblent. Je les attrape de mes deux mains ; elle se désiste, s'amuse, danse, mène le jeu, attise mon désir, ses longs ongles laissant des marques autour de mes mamelons. Je saute à mon tour sur mes pieds, j'écarte les jambes et plie les genoux, possédé par la force animale d'Hanouman, le roi des singes, qui, avec son armée de macaques, s'est rallié à Rama pour vaincre Râvana. Je suis Rama en toute lumière qui a accès à Sita, déesse Terre. Elle tourne en spirale autour de moi, s'enroule comme un serpent dans mon dos, sur mes hanches, mes fesses qu'elle grafigne…

L'énergie circule, animal et esprit réunis. L'une de ses mains glisse entre mes jambes, m'attrape là et s'attarde, chaude ; son autre main fait le tour et glisse de mon ventre à mon *linga* brandi. Elle le saisit fermement et, d'une voltige contrôlée, grimpe sur moi, ses pieds s'agrippant à mes épaules, sa tête masquée entre mes cuisses, ses bras enveloppant fermement mes jambes. Je l'attrape sous les genoux pour la retenir ; d'une force décuplée, je l'attire jusqu'à ma bouche, grisé par ses odeurs de parfum mélangées à ses sucs. Je suis plongé dans la *Kama Shastra*, je lèche sa *yoni* que je pénètre de ma langue et je pourlèche ses parois mouillées. D'un bond, elle se dégage puis, apposant ses mains à mon cou, elle saute et plante ses pieds à mes hanches. L'intensité de son regard anime le masque de mille vies. Je suis Rama muni de la force d'Hanouman. Elle est Sita, Shakti incarnée qui descend lentement ses fesses, *yoni* ouverte que mon *linga* pénètre. Deux univers se découvrent en profondeur... Elle me baigne de ses liquides lunaires jusqu'à m'étourdir de puissance. Elle danse l'amour. Sa position change ; elle se retrouve à quatre pattes, et moi derrière, bête mythique. Envahi de bien-être, armé du pénis noir du taureau d'or, je fertilise la Terre. Mes mains sculptent sa chair. Son corps est empreint d'aspérités métaphoriques, je touche du jade. Les sons que nous émettons s'harmonisent. Nous construisons un temple de souplesse. Nous créons un univers non visité. Nous découvrons les déités copulant à travers le cosmos. Nous explosons ! La mort n'existe plus... Nous allons renaître !

Puis, nous nous aidons l'un l'autre à nous revêtir. Tinila enlève enfin son masque. Objet sacré, vénéré, elle le tient précieusement dans ses deux mains et dit :
— Sans la force qu'il m'a transmise, je n'aurais pu danser nue devant toi. Quand j'ai vu Jacinthe exécuter

cette danse pour une deuxième fois en pleine liberté, ça m'a provoquée. Kagong me l'a souvent demandé, mais ça aurait fait scandale dans notre communauté. Son fils, mon mari, m'a toujours appuyée dans mon refus de me dévêtir, mais quand il a vu Jacinthe danser Sita avec seul un maquillage pour la couvrir, il s'est dit ravi d'en avoir été témoin. Sa réaction m'a révoltée. Je n'ai rien dit. J'attendais que l'occasion se présente et elle s'est présentée.

Elle se tourne alors vers moi et poursuit :

— Le masque m'a ouvert les univers de Rama et Râvana, une gestuelle que je n'avais jusqu'ici qu'enseignée. J'ai assouvi une rage que seule une femme d'ici peut ressentir parce que nous subissons depuis trop longtemps le comportement de certains hommes qui abusent de leur pouvoir. Puis Sita est revenue m'habiter. Je n'avais pas l'intention de faire l'amour, mais tu étais tellement réceptif, sans réactions, que j'ai eu envie de te séduire. J'ai été possédée par des forces invisibles.

De gestes minutieux, elle enveloppe alors le masque de son voile bleu, en murmurant :

— Tu ne serviras plus, je vais te cacher.

Le visage de Tinila, distendu, paisible, s'offre alors à moi ; elle appuie ses lèvres entrouvertes sur les miennes, d'un attouchement qui m'insuffle son âme à nu. Langoureusement, la fente de ses yeux mi-clos s'humecte.

Nous quittons l'atelier main dans la main, comme deux enfants redécouvrant la Terre.

Jacinthe nous attendait à la porte du pavillon. Elle s'inquiétait de ne pas me voir arriver. Comme un petit garçon pris en faute, je laisse aller la main de Tinila, qui, elle, tout bonnement, prend Jacinthe dans ses bras et lui révèle que nous venons de la voir danser derrière les flammes. Jacinthe paraît décontenancée, à la fois fière et contrariée. J'aimerais lui dire combien elle m'a émerveillé, mais je reste sans parole. Craignant que Jacinthe ne vienne humer le parfum de Tinila imprégné sur ma peau, je m'excuse auprès d'elles et me retire, prétextant d'aller me rafraîchir sous la douche de cette journée accablante de chaleur.

Peut-être un jour réussirai-je à dévoiler à Jacinthe cette rencontre unique, mais, pour l'instant, j'ai l'impression que les mots ne feraient qu'envenimer le merveilleux. J'aurais aimé lui dire : « Nous avons fait l'amour comme des dieux. L'Univers reste à découvrir. Jamais je n'aurais cru possible un tel bouleversement, et c'est toi, ma fille, qui as tout déclenché. »

Des éclats de rire parviennent soudainement à mon oreille, les rires enjoués de petites filles. Les deux Sita se réjouissent. Je suis ému de cette si belle amitié en si peu de temps ! Que peuvent-elles bien se raconter ?

Alors que je me joins à elles, Tinila est sur son départ. Son mari et son fils l'attendent pour le souper. Avant de nous quitter, Tinila, comme si elle voulait me transmettre une dernière fois la force vitale du masque, me frôle le visage du voile le recouvrant et s'enfuit, resplendissante.

Tinila envolée, je m'empresse de donner son cadeau d'anniversaire à mon amour de fille : un bracelet en or serti du même dragon rouge que le collier que je lui avais offert et qu'elle a légué à la vieille crapaude de Bali. Ce soir, Jacinthe est ma princesse, elle qui vient de danser comme une reine. Je lui prépare son plat préféré, des pâtes aux fruits de mer, arrosé de saké. Je suis à son service et heureux de l'être. Je m'occupe. Pour l'instant, je n'ai pas envie de découvrir ce que Tinila a pu lui raconter.

Jacinthe mange avec appétit, heureuse que son stage se soit terminé de si belle façon. Nous fêtons, goûtons et buvons plus que de coutume. Je n'arrête pas de lui parler de sa danse. Son regard sur moi est différent, amusé. Je lui dis être surpris de son audace, elle qui m'était apparue jusqu'à maintenant très pudique. Jacinthe sourit.

— Cette pudeur, me répond-elle, c'est envers vous, mes parents, que je l'ai toujours eue, surtout envers ma mère, qui, comme tu le sais, est très pudique, mais ce n'est pas ma véritable nature.

Jamais auparavant elle n'a voulu me parler de sa mère, en bien ou en mal. Est-ce d'avoir dansé nue qui la libère ainsi ? Sait-elle intuitivement que ce fut la cause première de notre séparation ? Je n'ose approfondir le sujet.

À la fin du repas, alors que Jacinthe est sur le point de se réfugier dans sa chambre, elle se tourne vers moi, m'embrasse chaleureusement et dit, une brillance dans ses yeux :

— Papa, je suis fier de toi ! Tinila m'a avoué que vous avez fait l'amour. Elle m'a montré le masque qui vous a envoûtés tous les deux. Elle me l'a fait porter. Nous avons dansé, nous nous sommes bien amusées. Tinila est magnifique. Elle m'a fait ressentir l'envoûtement dans lequel vous avez été plongés. Je suis heureuse que tu aies pu vivre un tel moment. Elle a dit : « Nous avons combattu les démons, nous avons fortifié les dieux en nous, nous avons expulsé les mauvais esprits en faisant l'amour. » Elle a dit aussi qu'elle ne sentait aucun remords l'envahir, parce que jamais elle n'aurait pu libérer une telle intensité avec un homme de son pays, surtout pas avec son mari.

Une situation que je croyais alambiquée connaît tout à coup un dénouement auquel je ne m'attendais nullement. Que Jacinthe ne soit aucunement gênée des ébats sexuels de son père me laisse hébété. Je ne sais plus trop comment réagir. Je la serre tendrement dans mes bras. Les seuls mots qui me viennent sont :

— Tu es belle, Jacinthe.

Seul dans mon lit, j'ai l'impression de redécouvrir un être que je croyais connaître !

J'ouvre le *Ramayana*. Au septième livre, un porte-parole du peuple dit à Rama : « Quel plaisir éprouve le roi à garder une femme qui, toute une année, a vécu sous le toit d'un autre ? Le roi est l'exemple ! Faudra-t-il accepter semblable situation avec nos propres épouses ? Voilà ce qui s'entend de la bouche de tes sujets et que nous n'osions te répéter.» La tristesse ravage alors le cœur de Rama. Même si Sita a voulu se soumettre à l'épreuve du feu pour prouver sa fidélité, elle est une nouvelle fois soupçonnée de tous les maux. Partout dans la cité, le bruit court. Rama doit se plier à la volonté de son peuple pour sauver son honneur. Rempli de douleur, il condamne Sita à vivre chez les ermites sur les rives du Gange. L'âme attristée par ce destin implacable, Sita veut se jeter dans les eaux du fleuve, mais elle est enceinte et ne peut se déterminer à faire mourir le fruit de leurs amours. Elle décide alors de vivre et, sans avouer à Rama qu'elle est enceinte de lui, elle fait dire à son époux qu'elle lui restera fidèle jusqu'au bout de ses peines.

Qui suis-je dans cette histoire ? Et si Tinila était enceinte de moi ? Nous n'avons pris aucune précaution. Mon sperme a jailli en elle superbement. Tinila était-elle ou non dans une période d'ovulation ? Elle n'a pas semblé s'en préoccuper.

Pour calmer mon angoisse, je me remets à lire. Des années après avoir chassé Sita, Rama, seul et malheureux, apprend d'un sage un secret qui lui révèle la cause première de ce malheur qui l'a frappé. Jadis, le dieu Vishnou, parti à la chasse, tue la femme d'un anachorète, qu'il a malencontreusement prise pour un animal ; l'anachorète, sous la douleur d'un désespoir cruel, maudit Vishnou et lui prophétise un sort pareil au sien : « Un jour, tu naîtras sur cette Terre et l'épouse que tu choisiras, tu en seras séparé pour ta plus grande douleur ! » Et c'est ainsi que Rama apprend qu'il est l'incarnation de Vishnou.

La lecture de ce passage me calme. L'Univers ne se limite pas à notre planète. On fait descendre sur Terre les déités védiques. Vishnou commet un crime par mégarde. Les dieux sont conjugués au masculin comme au féminin. Je me sens épouser l'esprit hindouiste des îles indonésiennes. La plus humble des personnes vit avec ses dieux dans le quotidien, et ils sont des milliers dont on s'inspire au besoin. Tinila et moi n'aurions jamais pu faire l'amour inspirés du Dieu chrétien, la chrétienté étant un univers où le sexe a toujours été frappé d'interdit.

J'entre dans le sommeil en songeant à Tinila, rêve incarné. Il y a une éternité que je ne me suis senti aussi bien dans ma peau.

Je suis sur le toit d'une maison de trois étages avec quatre copains de mon âge. J'ai neuf ans. C'est à celui qui plongera le premier dans le banc de neige en bas, un jeu que l'on pratique pour se défier l'un l'autre. Je fais le brave, je plonge le premier. Voltige, virevolte, saut de l'ange, je culbute avec la légèreté d'un oiseau au gré du vent, et atterris. Bang ! Un choc. Je suis tombé sur le dos là où seule une fine couche de neige recouvre l'asphalte. À peine conscient, j'appelle à l'aide. Un faible son sort de ma bouche. Je distingue les copains qui s'enfuient, effrayés de me voir couché, sans aucune réaction. Le froid de la neige me fait reprendre conscience petit à petit. Péniblement, je réussis à me remettre sur pied et à marcher jusqu'à la maison, pour constater que mon père vient de mourir. Devant moi, des centaines de personnes venues visiter le cadavre se démènent d'une pièce à l'autre. Les femmes pleurent, mais je ne crois pas leur peine véritable. Les hommes rigolent en se racontant des histoires corsées. Révolté par ces pleurs et par ces rires, j'attrape le cadavre de mon père par les revers de sa veste, le soulève de son cercueil et hurle. La maisonnée en est figée de stupéfaction. Fier de mon geste, je repose douillettement mon père dans son lit bordé de satin blanc, le cajole, embrasse son front froid, puis me retire dans ma chambre, que je ferme à clé.

Le rêve, une fois de plus, m'amène à condamner les mœurs de la civilisation dont je suis issu.

Serait-ce mon inconscient qui me mène dans une vie antérieure sur ces terres asiatiques ?

Chapitre cinq

Tous les êtres naissent dans l'illusion,
ballottés par les dualités du désir et de l'aversion.

BHAGAVAD-GITA

En INDONÉSIE, les combats de coqs sont désormais interdits, mais ils sont tolérés, cette coutume étant ancrée dans les mœurs depuis trop longtemps. Jamais nous n'aurions pu atteindre le lieu du combat si Kagong ne nous y avait dirigés. Nous sommes au centre de Yogyakarta, sur la place du marché. Après avoir franchi un dédale de rues et de ruelles peuplés de dizaines de marchands vendant leurs produits à une foule de plus en plus compacte, nous débouchons sur un grand bâtiment sans mur complètement isolé du reste. Toit de chaume supporté par quatre poteaux ; à l'intérieur, réunies sur trois gradins, une centaine de personnes, surtout des hommes, qui se crient leurs paris d'un côté à l'autre. Sur le quatrième côté, s'élève une fumée d'encens qui brûle sur un autel en bambou chargé d'offrandes de fruits destinées aux démons qui aiment le sang.

— Les combats de coqs, me dit Kagong, ne sont pas uniquement un jeu, mais aussi un sacrifice nécessaire. On offre un peu de sang de coq et des fruits aux démons, sinon leur colère pourrait entrer dans la peau des hommes, qui s'entre-déchireraient, faisant couler leur sang à flots.

Au centre des gradins, dans l'arène de sable, deux coqs s'affrontent. Tout autour, les autres combattants, renfermés dans leurs cages, font retentir leurs cris à intervalles irréguliers, pendant que les clameurs des parieurs fusent. Les deux coqs dans la *balé* de combat tournent l'un autour de l'autre, puis battent des ailes, les lames de leurs ergots tranchant l'air. Tous deux retombent, blessés ; l'un est assis, un peu de sang coulant sous lui ; l'autre saigne sous une de ses ailes ; les deux coqs cessent de combattre. À voir les propriétaires s'approcher et essayer de les stimuler, je comprends alors ce qu'a voulu dire Kagong : l'un des deux, un colosse au torse nu, tout en secouant son coq pour le ranimer, toise l'autre d'un regard de haine à faire peur, tandis que l'autre, un homme maigre au visage osseux, fixe son coq en le massant de gestes caressants, n'osant relever son regard. Un gong retentit pour que le combat reprenne. Le colosse lance alors son coq dans les airs et se pavane devant la foule, qui rigole ou l'injurie. Le maigre redépose son coq sur la *balé* de combat en lui chucho-tant des encouragements, ce qui déchaîne la foule dans des cris se moquant autant des propriétaires que de leurs coqs. Celui du colosse, apparemment blessé à une patte, se décide à l'attaque : il prend son vol — les spectateurs se taisent —, la lame attachée à son ergot brille ; l'autre coq a à peine le temps de battre des ailes qu'il s'écroule, mourant, du sang dégoulinant de son poitrail. Le colosse s'approche, attrape son coq dans ses deux mains et, d'un geste provocateur, le passe vivement à deux doigts du visage de l'autre. Puis, le portant à bout de bras, il le montre fièrement à la ronde, avec un regard de mépris sur ceux qui se sont moqués de lui. Il quitte les lieux dans une démarche hautaine, comme un coq dans sa basse-cour. Si le ridicule pouvait tuer, il tomberait raide mort. Les spectateurs se remettent à causer et à rire bruyamment... Et les paris repartent de plus belle dans de hautes clameurs parce que le prochain combat implique les deux danseurs-vedettes du *Ramayana*.

Xanana, en retrait, entouré de deux autres élèves, est à attacher la lame à l'ergot de son coq avec un fil rouge ; la lame a la même forme sinueuse que celle qu'il utilise pour danser le rôle de Rama : un *kriss* miniature. Tous trois, silencieux, se concentrent sur le coq comme s'ils voulaient lui transmettre leur énergie. De temps à autre, Xanana jette un regard dans notre direction. Jacinthe semble de plus en plus incommodée par ces yeux mâles posés sur elle. Qui plus est, en cette journée de chaleur intense, elle a malencontreusement revêtu un sarong qui, à la lumière du jour, se révèle transparent : on peut voir sa petite culotte au travers. Depuis que je lui en ai fait prendre conscience, elle reste assise, irritée, choquée.

— Je déteste les combats de coqs, me confie-t-elle. Ils ne font qu'aviver les plus bas instincts. Regarde tous ces hommes me reluquer comme si j'étais une femelle en chaleur. Ils ont un comportement primaire.

J'essaie de la calmer, de lui faire comprendre qu'il est normal qu'elle éveille de tels désirs dans une assemblée où tout est projeté sur l'animal... Rien à faire, elle est scandalisée.

— Tu es la seule Blanche et, regarde autour, il n'y a que quatre ou cinq autres femmes. Avec ta tête rousse et ce sarong transparent, comment veux-tu ne pas attiser ces hommes ?

Je la prends dans mes bras et essaie d'en rire. Jacinthe me bouscule, se défait de mon étreinte. Son geste me heurte. Je n'aime pas être confondu à cette foule de mâles en rut. Je lui propose alors de quitter les lieux.

— Non, clame-t-elle aussitôt avec une détermination inhabituelle. Je veux rester.

Et son regard se pose sur Xanana, qui depuis un moment la fixe, ayant terminé la préparation de son coq au combat. Le désir entre eux deux est d'autant plus flagrant qu'il semble émerger de la force animale que Jacinthe vient de réprouver.

Kagong ne dit mot, mais n'en sourit pas moins ; il nous indique, de l'autre côté de l'arène, l'adversaire de Xanana, celui qui danse Râvana. Xanana le dépasse d'une tête. Sur scène, le masque de Râvana aux neuf têtes le fait paraître beaucoup plus grand. Son coq aux plumes mordorées est deux fois plus gros que le coq blanc et noir de Xanana. Tout comme la lame de Râvana dans son combat, celle qu'il est à lier à la patte de son coq est plate, large et luisante. Les pattes du petit coq blanc et noir de Xanana sont cependant plus fortes que celles de son opposant. La chaleur et l'agitation sont intenses, les cris stridents. Paniqué à la vue de l'autre coq deux fois plus gros que le sien, Xanana jette un regard inquiet en direction de Kagong, qui, d'un geste discret de la main, le rassure ; ce geste démontre clairement qui des deux élèves est son préféré. Jacinthe n'a d'yeux que pour Xanana. Elle est prise au jeu.

Les deux adversaires se présentent alors au centre de l'arène, leurs coqs bien en mains. Ils se font face, s'accroupissent au ras du sol, essayant d'insuffler aux coqs leur force de combattant, pendant que tout autour les parieurs crient leurs mises. Je suis de plus en plus gêné par cette atmosphère de foire. Et je n'aime pas que Jacinthe, ma fille, soit l'enjeu de cette lutte animale. Tous les regards sont happés par la joute qui va se produire. Xanana, tout en ne lâchant pas l'autre du regard, rebrousse les plumes du cou de son coq pour l'exciter au combat. L'autre, impassible, sûr de lui, tourne son animal face à lui et lui souffle de l'air dans les yeux ; le coq bat des ailes et gonfle sa poitrine, prêt au combat. Il paraît énorme au côté du petit coq de Xanana qui, nerveux, bat aussi des ailes, paraissant ne pas craindre la force de l'autre. D'un accord tacite, les deux adversaires se lèvent, reculent lentement, lancent en même temps leurs coqs dans les airs et s'écartent vivement de la scène. Le gong retentit. L'assistance se tait.

Les deux bêtes, plumes hérissées, se tournent autour, tête baissée, pattes repliées pour mieux sauter. Le gros coq paraît expérimenté, prudent, tandis que le petit, de sautillements nerveux de ses fortes pattes, bondit sur l'autre, qui recule doucement. Soudainement, les deux battent des ailes et attaquent. Les lames scintillent et se touchent, quelques plumes volent dans les airs. Retombé sur le sol, le petit coq n'a cure du sang qui coule d'une de ses pattes ; il continue à tourner autour de l'autre, qui, le poitrail gonflé, prêt à tuer, attend le moment propice avant de bouger. Un murmure bourdonne dans la foule. Xanana s'est levé, le teint blanchi, prêt à intervenir, sentant le danger, tandis que l'autre est resté assis, se gonflant le poitrail tel son gros coq. J'ai l'impression d'assister au combat entre Râvana et Rama par coqs interposés.

Le gong retentit de plusieurs petits coups pour exciter les coqs au combat. Les cris dans la foule augmentent au même rythme. J'aperçois des gouttes rouges sur les ailes blanches du coq de Xanana, mais il se pourrait que ce soit le sang de l'autre coq, sur lequel rien n'est visible étant donné ses teintes mordorées. Aucun des deux ne paraît gravement blessé. Battant des ailes, ils se précipitent l'un sur l'autre. Comme une vague sonore, la foule les accompagne d'un murmure qui se gonfle. Le gros coq retombe, du sang giclant d'une de ses ailes, pendante, mais il semble ne rien sentir, se gonflant le poitrail. Il essaie de voler mais en est incapable ; il attaque à ras de terre. Le petit coq boite, mais est en pleine possession de ses ailes. Se donnant un élan sur une seule patte, il bondit en l'air et assaille le gros de sa lame scintillante, qui l'attrape sous le bec. Un cri surgit de la foule. Le gros coq tombe, ailes frémissantes. Le gong retentit bruyamment pour marquer la fin du combat.

Xanana s'avance, fier. Il attrape délicatement son coq de ses deux mains, le tourne sur lui, le regarde intensément et baise son bec avec douceur. Le coq, qui n'était que fureur, s'amollit et appuie sa tête sur les lèvres sensuelles de Xanana. Xanana le met alors tendrement sur son cœur, puis le soulève à bout de bras en direction de Jacinthe, qui applaudit, hypnotisée. La foule autour rigole, mais Jacinthe n'en a aucune conscience.

Kagong est déjà dans l'arène, aux côtés de celui qui danse Râvana, qui, lui, n'a d'yeux que pour Jacinthe et Xanana, un regard rempli de convoitise et de frustration. Kagong a tiré un petit étui de ses goussets et, avec grand soin, applique une pommade sur les blessures du gros coq.

Il revient sur nous, qui sommes descendus sur la *balé* de combat pour nous joindre à Xanana. Il dit :

— J'ai soigné son coq, mais je crains que ce soit inutile ! Son aile pourrait reprendre de la force, mais j'ai bien peur que le cœur flanche. Il a perdu trop de sang de sa blessure au poitrail.

Comme s'il prenait soin de ses propres élèves, il applique alors la même pommade sur le haut de l'ergot blessé du petit coq. Puis, le remettant avec grand soin dans sa cage, il dit à Xanana :

— Ton coq a eu plus de chance. Dans une semaine, il sera guéri et encore plus fort. Il aura appris.

Alors que nous quittions l'endroit tous ensemble, Kagong me prend à part et me souffle à l'oreille :

— Ces deux-là sauront désormais comment danser le combat entre Rama et Râvana. C'est un combat d'une force animale provenant de la terre où les jambes doivent être solides tels des troncs d'arbres et où les bras manipulant les armes doivent voler dans les airs comme les ailes du coq, une notion que j'essaie en vain de leur inculquer depuis cinq ans.

Arrivés sur la place du marché, Kagong dépose délicatement la cage du coq de Xanana dans la boîte arrière de sa jeep. Xanana, qui a remarqué lui aussi la transparence du sarong de Jacinthe, n'est pas peu fier de la protéger de tout son corps des regards. Comme un paon stimulant sa partenaire, il fait la roue, sans que Jacinthe, cette fois, ne s'en formalise. Au contraire, elle a l'air d'apprécier. Je suis fasciné par ce qui se dégage de leurs jeunes corps de danseurs. Sans le savoir, ils sont Rama et Sita transfigurés dans le quotidien. Xanana ne parle que très peu l'anglais, mais les quelques mots qu'ils utilisent entre eux ponctuent le langage de leurs corps. L'air les entourant est tangible, chaud, limpide. Ils s'entremêlent, se frôlent, s'écartent et se rapprochent, en un ballet subtil de jeunesse, au point de ne plus savoir qui est l'homme, qui est la femme.

Nous allions quitter l'endroit quand nous sommes pris au milieu d'une kermesse menée par une fanfare tout droit sortie de l'époque coloniale. Rythmés par les battements du gros tambour, ces Javanais à la peau cuivrée marchent au pas, tenant une longue hallebarde au bout de laquelle brillent les couleurs du drapeau hollandais. Ils ont l'air de fantoches coincés dans l'uniforme militaire du conquérant. Au milieu de la foule qui suit la parade, deux gigantesques personnages aux têtes hideuses les surplombent de plus de trois mètres, mâle et femelle. Ces deux marionnettes géantes ont des yeux exorbités, des nez énormes, épatés, et une rangée de dents déformant leurs bouches aux lèvres bulbeuses. Les longues incisives du mâle écartent sa lèvre inférieure d'une manière menaçante, horrifiante, tandis que celles de la femelle, émanant de sa gencive inférieure, distandent sa lèvre supérieure en un sourire forcé, ce qui lui procure un curieux aspect attirant, obnubilant. Un pagne recouvre la taille des deux monstres. Seul le mâle porte les épaulettes du costume militaire des petits Javanais paradant devant eux. Ils sont une caricature de la force militaire coloniale. La musique de fanfare est discordante, à mille lieues de l'harmonie gracieuse du gamelan. Kagong dit :

— Voilà une façon pour les Javanais de chasser les démons de la conquête. Cette parade doit mener la foule dans un parc où on procédera à des jeux.

Mais, aujourd'hui, il n'y aura pas de jeux. Depuis un moment, on entend des cris, des slogans qui augmentent d'intensité, se rapprochant de plus en plus de nous. Inquiet, Kagong nous demande de monter dans la jeep au plus vite.

— Nous devons déguerpir. Une manifestation antigouvernementale se prépare.

Kagong, en démarrant le moteur, nous traduit les cris qui nous parviennent : « On veut abattre tous les membres du gouvernement actuel. On exige la libération du Timor oriental... »

Des centaines d'étudiants armés de bâtons et portant casques de travailleurs convergent sur nous dans des cris chargés de colère. Plusieurs ont le visage masqué d'un foulard. Pris de frayeur, les participants à la fanfare essaient de fuir dans tous les sens. Des étudiants s'emparent de leurs effets et les brisent. On y met le feu. Tous sont déchaînés, hors de contrôle. Ils poussent les deux marionnettes géantes en papier mâché dans le feu naissant ; elles s'embrasent, créant la panique.

Depuis un moment, Kagong essaie de naviguer pour sortir la jeep de la foule. Alors que nous allions enfin pouvoir fuir par une rue adjacente, nous sommes stoppés par des camions noirs qui avancent lentement, devancés par des militaires masqués, protégés par des boucliers de plastique transparent, armés de matraques et de longues badines : une brigade antiémeute.

Kagong recule, essaie de trouver une issue. Nous sommes pris entre deux feux. Soudain, une voix forte nous parvient, surmontant les cris. Munie d'un mégaphone, une femme, montée sur une tribune au centre de la place, harangue la foule. Je crois reconnaître la voix de Tinila. C'est impossible, je rêve ! La femme est vêtue de blanc des pieds à la tête, à la musulmane. Je n'ai jamais vu Tinila ainsi vêtue. Kagong, malgré son énervement, me confirme que c'est bien elle.

— C'est une militante, me crie-t-il, une Sita moderne. Elle a revêtu ce costume pour déjouer les plans de ceux qui voudraient la photographier pour l'inculper. Elle a toujours été très astucieuse. Je l'admire pour son action, mais j'ai peur pour elle.

Je reconnais bien là la femme qui s'est révélée à moi, d'une violence couvante, d'un amour explosif !

Les cris augmentent. Les forces de l'ordre approchent.

Ce peuple, qui n'est que prévenance et douceur, se révèle d'une violence inouïe, comme un volcan qui aurait dormi trop longtemps et qui éclaterait. Les manifestants déchirent leurs costumes pour bien montrer qu'ils se rallient au mouvement de révolte...

Après de multiples manœuvres inefficaces, Kagong allait réussir à trouver une issue quand nous voilà encerclés, menacés par un groupe d'étudiants qui lancent des hauts cris. L'un d'eux assène un coup de bâton sur le capot, suivi par d'autres qui l'imitent. Tout le monde hurle. Je suis figé par la frayeur. Kagong hurle à son tour, essaie de descendre et de m'entraîner, me tirant par le bras. Je reconnais les étudiants de Kagong, qui réussissent à former un cercle autour de nous pour nous défendre. La bagarre est engagée, les étudiants se battent entre eux. Je hurle le nom de Jacinthe ; j'ai

beaucoup plus peur pour elle que pour moi. Xanana et
elle ont sauté de l'autre côté de la jeep, se mêlant aux
manifestants. Bousculé, j'aperçois celui qui danse Râvana
s'approcher de Jacinthe. Il paraît dépossédé, furieux,
fendant la foule d'une détermination abêtie, s'avançant
de plus en plus près de Jacinthe. J'ai beau crier pour
l'avertir du danger, je n'arrive pas à surmonter les cris de
la foule. Il s'apprête à l'assaillir quand Xanana l'aperçoit.
Les étudiantes de l'école de Kagong, en un seul mouvement, entourent Jacinthe pour la protéger. Elles sont six
ou sept, elles gueulent et réussissent à le faire reculer.
Xanana lui assène un coup de poing violent, et l'autre ne
peut répliquer car les filles le pourchassent; il s'éclipse,
humilié une seconde fois dans la même journée.

Ces femmes entourant Jacinthe me font revivre l'une
des dernières scènes du *Ramayana* : Râvana, entouré de
milliers de ses *rakshasas* baignant dans leur sang sur le
champ de bataille, est atterré. On lui annonce alors que
son propre fils vient de mourir : il entre dans une fureur
aveugle et se dirige vers l'endroit où l'on détient Sita
prisonnière. De rage, il s'avance sur elle, sabre à la main :
« Je vais tuer Sita ! aboie-t-il. Lorsque Rama apercevra
son corps sans vie, son espoir sera anéanti ! » Toutes les
femmes de son harem forment alors un bouclier de leurs
corps pour protéger Sita. L'une d'elles lui crie : « Honte
à toi, Râvana ! Comment oserais-tu mettre à mort une
femme sans défense ? Décharge ta colère sur Rama, un
adversaire à ta mesure. » Dégrisé par ce comportement
inhabituel de ses femmes, Râvana se retire et reste prostré
un long moment avant de rassembler les dern ères forces
l'entourant pour affronter Rama dans un ultime combat.

Les forces de l'ordre ont lancé des bombes lacrymo-
gènes. Elles approchent en rangs serrés, frappant leurs
boucliers de leurs matraques. J'ai de la difficulté à

respirer, les yeux me piquent. Je reçois un coup sur la tête, je saigne, suis ébranlé. On me pousse dans tous les sens. Tous ces cris dans une langue que je ne comprends pas... J'ai perdu Jacinthe et Xanana de vue, mais Kagong est toujours à mes côtés. Nous sommes entraînés par six de ses élèves qui essaient de nous protéger des coups qui pleuvent. J'ai peur pour ma fille, ne pense qu'à elle. Je voudrais crier : « Ce combat politique ne nous appartient pas ! » mais aucun son ne sort de ma bouche. Nous débouchons finalement dans une rue adjacente, libérés de la meute de manifestants. J'entends Kagong argumenter avec un chauffeur de taxi ; les tractations sont longues, je me sens perdu, dépourvu, et je perds du sang. J'ai à peine conscience qu'on me pousse dans le taxi, qui, enfin, démarre.

Kagong applique un mouchoir sur ma blessure à la tête et essaie de me rassurer :

— Ne vous en faites pas, Guillaume. Xanana et Jacinthe sont jeunes. Même si je sais que ma jeep est une pure perte, je ne peux que me réjouir de ce qui se passe. Mon école va survivre, j'en suis sûr. Xanana et mes élèves vont protéger Jacinthe. Ils l'aiment beaucoup. Et avec Tinila à leur tête, ils vont réussir à fuir...

Kagong continue à parler mais, dans l'état où je suis, je n'entends plus ce qu'il dit, surtout qu'il parle anglais avec un fort accent... Je perds connaissance...

Qui suis-je ? Où suis-je ?..

Une femme aux yeux bridés, tout près de mon visage, émet des sons qui me semblent familiers. Ce monde qui m'entoure, ce combat que je viens de quitter, j'ai l'impression de l'avoir déjà vécu, d'avoir habité l'époque sanglante du *Ramayana*, et ma fille réagit comme j'ai agi naguère, avec violence. Telle Tinila, elle fait sien le mythe de Sita. Elle confronte les forces de désintégration, combat la mort pour que se ressource la vie !

Je suis dans la maison de Kagong, étendu sur un sofa. Je refais surface lentement. Hikari, penchée sur moi, me parle. Elle m'informe qu'elle a nettoyé ma blessure. Dès que j'ai tout à fait repris conscience, je m'inquiète de nouveau pour Jacinthe. J'aimerais retourner sur les lieux de la manifestation. J'essaie de me lever, mais retombe aussitôt. Kagong rigole de mes inquiétudes de père et m'offre à boire du saké chaud, ce qui a pour effet de me calmer. Très vite, je suis en état d'ivresse. Remplis d'attendrissement à mon égard, tous les deux m'accompagnent alors à mon pavillon. Ils m'aident à m'étendre sur mon lit. Après m'avoir douillettement enveloppé de couvertures, ils se retirent en silence. Je sombre dans le sommeil.

Je suis à Montréal en train de monter le Ramayana *dans une école de théâtre. Jacinthe, à qui j'ai demandé de chorégraphier mouvements et danses, s'y applique avec ferveur. L'une des élèves est magnifique. Elle sait tout faire, elle a un corps semblable à celui de la reine-abeille et la même souplesse. Elle est ravie d'aborder une culture à mille lieues de ce qu'elle connaît. Elle consent même à teindre ses cheveux roux en noir et enduit ses mains et ses pieds de henné. «Ainsi, dit-elle, je vais permettre à mon corps et à mon esprit de voyager jusqu'à l'âme d'une culture millénaire.» Elle porte un masque pour jouer Brahma, ravie d'aborder l'apprentissage du jeu avec masque. Sans masque, elle se transforme en Agastya, grand sage de la forêt, maître de l'illusion. Agastya soumet Rama, Lakshmana et Sita à de multiples épreuves, auxquelles ils se soumettent avec enjouement. «Qu'est-ce qui est plus rapide que le vent?» leur demande Agastya. Lakhsmana répond aussitôt: «La pensée.» «Quelle est la cause du monde?» Sita répond: «L'amour.» «Qu'est-ce que la folie?» Et Rama de répondre: «Un chemin oublié.» «Quel est ton contraire?» «Moi-même.» Cette jeune actrice dans l'âme m'émerveille. Je n'ai d'yeux que pour elle. L'orage éclate.*

Agastya s'envole au-dessus des arbres et saisit la foudre à main nue. Sa force fond le feu céleste en un minerai d'argent et de bronze duquel elle tire arcs, carquois et flèches aux vertus infaillibles. Agastya revient au milieu de la forêt et confie les armes à Rama et à Lakshmana : « Sur cette Terre, proclame-t-elle, les humains sont ballottés entre les dieux et les démons. Un jour, ils dansent et festoient ; l'autre jour, ils pleurent des larmes de sang. En proie à la faim, à la soif, aux maladies et à la vieillesse, ils sont de surcroît accablés par les démons. Râvana et ses rakshassas *sont des démons qui veulent les anéantir pour se régaler de leur sang mais, grâce à ces armes émanant de la foudre, vous pourrez les vaincre. Hanouman et ses armées de singes vous aideront. L'instinct du singe sait détecter les* rakshassas, *qui prennent toutes sortes de formes pour leurrer leurs adversaires. Les singes connaissent aussi les herbes qui peuvent guérir les blessures subies sur le champ de bataille. »*

Jacinthe fait irruption, rompant la magie. La forêt disparaît. En larmes, ma fille s'écrie : « Je laisse tout tomber ! Je ne veux plus essayer de convaincre les élèves masculins du bien-fondé des mouvements, qui leur paraissent efféminés. Quelle idiotie ! »

Furieux, je me précipite dans la pièce adjacente, où les élèves mâles sont rassemblés. Je me mets à gueuler contre leur esprit obtus : « Enlevez vos œillères ! leur dis-je. Sachez vous ouvrir à de nouveaux horizons. L'histoire de l'humanité est vaste. Ayons suffisamment de courage et d'humilité pour aller y puiser, au détriment de nos préjugés qui nous bornent à nous satisfaire de notre seule culture. Je crois qu'une civilisation qui a plus de mille ans d'histoire peut faire évoluer notre connaissance de soi. » Ce sur quoi l'un d'eux s'avance et dit : « Seul le rôle de Vishnou a été distribué à un homme parce qu'il s'incarne en Rama. Pourquoi avoir distribué les rôles de Shiva et de Brahma à deux femmes ? Même le rôle d'Agastya, un sage, vous l'avez confié à une femme. » Cette réaction me met en furie. Je crie: «Quelle étroitesse d'esprit! De quel droit vous permettez-vous de vous accorder une telle prérogative? C'est scandaleux, ridicule, infantile. C'est pornographique! Vous avez épuisé ma fille par une attitude bête et bornée, mais, moi, vous ne m'aurez pas! Je prends la charge du mouvement et des danses. Vous allez vous soumettre à ce que je demande! Que ceux qui ne veulent pas poursuivre vident la place, et tout de suite!» Tous sont figés de frayeur. Profitant consciemment de l'état auquel mon autorité les a assujettis, je leur fais voir des illustrations figurant les dieux Brahma, Shiva et Vishnou, où les visages peints pourraient indifféremment être de l'un ou l'autre sexe. Leurs figures dégagent une magnificence androgyne, une beauté surnaturelle. Ces reproductions les persuadent de poursuivre l'aventure.

Un long cri me sort du rêve. Je me lève en catastrophe, me cogne dans le noir contre la table de la pièce de séjour et arrive enfin à la porte de la chambre de Jacinthe, que j'ouvre précipitamment... et referme aussitôt, en douceur... Cette fois, ce ne sont pas les rats qui ont fait crier ma fille! C'était un cri de jouissance, un cri d'orgasme que j'ai interrompu stupidement. Je suis profondément troublé! Jacinthe et Xanana dans l'amour, éclairés par la pleine lune, paraissaient épouser la même position inusitée qui me reliait à Tinila. De toute évidence, la lune les a envoûtés. Ils se sont échauffé les sangs à combattre les forces de l'ordre et se sont embrasés dans le rouge de l'amour.

Étendu dans mon lit, ne pouvant trouver le sommeil, je suis bouleversé par ce miroir déformant qui me ramène à un traumatisme vécu dans ma tendre enfance. J'ai cinq ou six ans et reviens de la messe, un dimanche matin. J'ouvre la porte de la chambre de mes parents. Ils sont nus, l'un par-dessus l'autre. Ils ont l'air de lutter, de se faire mal exprès. Je ne comprends pas, je pleure.

Je me réveille alors que le soleil est déjà haut. Des chuchotements me parviennent de la salle de séjour. Je crois reconnaître les voix de Tinila et de Jacinthe. Je suis surpris de ne pas entendre celle de Xanana.

Les deux femmes sont à prendre un café à un bout de la table. Je lis la consternation sur leurs visages.

— Que se passe-t-il ?

Tinila répond :

— Nous venons d'apprendre une nouvelle qui nous bouleverse. Noam a succombé à ses blessures à l'hôpital.

— Qui est Noam ?

— Celui qui dansait Râvana, me répond Jacinthe.

Tinila poursuit :

— Les élèves se sentent coupables, surtout les filles, parce qu'elles l'ont pourchassé jusqu'à ce qu'il tombe au milieu d'une horde de milices qui l'ont tabassé à mort. Xanana, Jacinthe et les autres élèves ont essayé de prendre sa défense, mais n'ont rien pu faire contre ces chiens enragés. Heureusement, je les ai aperçus. Nous avons réussi à fuir l'émeute et à rejoindre notre minibus, stationné non loin de là. Nous étions inquiets pour Noam. Nous espérions tous qu'il s'en sorte. Nous ne savions pas qu'il était en train d'agoniser.

Tinila, en faisant le récit des événements de cette nuit hors du commun dans un anglais hachuré, essaie de rester calme, mais on sent qu'elle n'a pas dormi de la nuit. Un léger tremblement agite son corps, des larmes de rage coulent de ses yeux. Elle tient la main de Jacinthe dans ses deux mains comme pour y puiser une force qui lui manque.

Le tragique de la situation me laisse sans parole. Le lourd silence entre nous est rompu par l'arrivée de Kagong, qui porte sous son bras une toile enroulée.

— Je viens de recevoir un télégramme du ministère de la Guerre me sommant d'arrêter les représentations du *Ramayana* et de fermer l'école pour un temps indéterminé. De toute façon, quand j'ai appris la mort de Noam, mon intention était de tout arrêter. Je viens de raccompagner Xanana à la gare. Il était bouleversé. Il avait peur qu'on l'ait identifié au cours de la manif. Il se sent coupable. Il a décidé de partir vers sa province du nord de Sumatra, qui lutte elle aussi pour son indépendance et où des troubles viennent d'éclater. Il a insisté pour que je transmette ses excuses à Jacinthe.

Jacinthe est atterrée. Je la serre contre moi.

Kagong ajoute :

— Cinq ou six élèves ont décidé de ramener le corps de Noam à Djakarta. Ils sont révoltés et veulent participer aux manifestations étudiantes de Djakarta. C'est là, disent-ils, dans la capitale, qu'on risque de pouvoir changer le cours de l'histoire. Les autres élèves vont regagner chacun leur île et attendre de mes nouvelles. Vous deux, Jacinthe et Guillaume, je crois qu'il vaudrait mieux que vous quittiez le pays dès aujourd'hui. En ces temps de troubles, les étrangers ne sont pas les bienvenus. On ne sait pas ce qui peut se passer.

Tinila prend la parole :

— Je ne sais pas quelles sont vos intentions mais je vous conseille d'éviter de passer par Djakarta, une ville épouvantable où des milliers de gens vivent dans des taudis. Des familles entières, par ignorance, s'empoisonnent, sont atteintes de multiples maladies parce qu'elles boivent et se baignent dans l'eau polluée. Les autorités ne font rien pour les mettre en garde. Ces familles font naïvement confiance à Brahma ou à Allah, comme si les dieux pouvaient tout régler à leur place. Les jeunes femmes se prostituent avec les touristes parce que c'est leur seul moyen de sortir de la misère. Les mouvements de révolte partout dans le pays sont justifiés.

Tinila s'est arrêtée de parler parce que Jacinthe sanglote. Tinila l'a prise dans ses bras pour la consoler, comme une grande sœur.

Le *dharma* est l'ordre secret que chacun porte en soi et qui régit l'ordre du monde. «Si le *dharma* existe véritablement, me dis-je, la rencontre de Tinila et Jacinthe en est une manifestation évidente. Ces deux femmes devaient se rencontrer. Toutes deux enveloppent de tendresse les misères du monde.»

— De toute façon, dis-je, jamais nous n'avons eu l'intention de nous rendre à Djakarta. N'eût été le combat de coqs, nous serions déjà partis. Notre voyage devait durer trois autres semaines, mais je ne sais plus. Si Jacinthe est d'accord, nous allons retourner à Bali et, de là, nous déciderons.

Kagong déroule alors la toile qu'il tenait sous son bras et l'étale sur la table. C'est la peinture représentant les trois cratères du Kilimutu. Il dit:

— Je l'ai enlevée de son cadre. Pour vous, Guillaume, ce sera plus facile à transporter. Je sais qu'elle vous plaît. Je vous l'offre en cadeau. J'aimerais que vous alliez sur l'île de Flores. Là, il n'y a pas encore eu d'émeute. Près des cratères, vous pourrez peut-être ressentir ce que je vous ai décrit et que j'ai essayé d'imprégner sur cette toile.

Malgré les événements tragiques, ce cadeau réjouit au plus haut point et sèche les larmes de Jacinthe tant elle est contente pour moi. J'aurais voulu acheter cette toile, mais ne pouvais me la payer.

L'avion pour Bali est dans trois heures.

Kagong nous propose de conclure notre rencontre dans la salle de méditation.

Ni Jacinthe ni Tinila ne sont des adeptes de la méditation, mais en cette journée particulière toutes deux acceptent.

Kagong s'assoit à l'avant, en position du lotus. Tinila et moi prenons la même position, derrière lui, près l'un de l'autre. Tinila respire profondément, je fais de même. Tout se passe sur le plan du souffle. Je jette un regard derrière moi. Jacinthe est restée debout. Elle nous observe, concentrée. Même si je suis quelque peu gêné par sa présence, les images de Shiva fécondant Shakti reviennent m'habiter. Je ferme les yeux, respirant toujours profondément. À l'expiration, j'entends Kagong émettre un son provenant du ventre. Il respire au même rythme que nous. Nous émettons le même son, en diapason. Les trois sons ne font plus qu'un, ils s'harmonisent, s'amplifient, semblent provenir des profondeurs de la Terre : c'est le son *Om*, l'alpha et l'omega hindouistes, le mantra des mantras, l'unification des dieux Bhrama, Shiva et Vishnou. Imperceptiblement, la voix de Jacinthe s'est liée à notre musique avec le mantra *Rama* tel que nous l'avons entendu au début de la représentation du *Ramayana*. Tinila se joint aussitôt au *Rama* de Jacinthe, pendant que Kagong continue le chant du *Om*, de plus en plus en profondeur. Je me tais et me laisse pénétrer de cette musique. Une harmonisation s'établit, une symphonie se crée. Pendant que Tinila poursuit sur un ton monocorde, méditatif, Jacinthe se met à jazzer son *Rama*. Tinila entre dans le jeu. Toutes les deux s'échangent les rythmes, qui s'interpénètrent ; elles modulent les deux syllabes à l'infini, adoptent des timbres de voix inusités. S'imprègnent en mon esprit des intensités de couleurs qui coulent, envahissant les mers, voyageant de l'Occident à l'Orient. Je me sens léger comme une plume, je décolle, je vole, me dédouble et voyage à travers le cosmos : les eaux, la terre, les ténèbres, la lumière, les planètes, la Voie lactée, les constellations... Étourdi, je ne suis plus qu'un petit point dans l'Univers... Tout éclate, les sons se diluent et disparaissent presque. Je n'entends plus rien. Vaguement, je suis au tout début des temps, une larve qui se consume dans un magma informe...

De très loin, j'entends de nouveau le son *Om,* qui se rapproche, se précise et me ramène doucement sur

Terre. Je sens une étreinte. Kagong est derrière moi et m'enserre de ses deux bras. Lentement, il relâche son étreinte tandis qu'il continue à émettre le son qui m'a ramené à la réalité. De nouveau, le duo *Rama* parvient à mon oreille. J'ouvre les yeux. Tinila est face à Jacinthe. Toutes deux dansent, improvisent une gestuelle nourrie de sons qui se répondent. Elles semblent exprimer librement le passage de la vie à la mort. Je vois défiler devant moi Noam, Xanana, Rama, Râvana. Ils se battent, le sang coule, la bêtise explose, des plumes de coq volent dans les airs, le feu est partout. Dans l'accélération de leurs mouvements, j'aperçois la folie des milices poursuivant les manifestants pour les matraquer à mort... Tinila tourne brusquement son regard sur moi. Je nous revois à la lumière du soleil rouge, envoûtés par les dieux de l'amour, éperdus de contentement. Son visage à découvert n'exprime que clarté et fluidité, une mise à nu où il n'y a plus rien de théâtral, de masqué, comme si elle révélait au grand jour notre rencontre intime. Elle se retourne vers Jacinthe, qui, par osmose, exprime une sensualité électrisante, une volupté que je n'aurais jamais pu soupçonner. Le *Rama* qu'elle chante devient grave, enjoué. Je la revois reliée au corps de Xanana, baignée des lueurs de la pleine lune. Ils ont vibré dans la nuit, et les dieux du monde chantent et dansent en elle. Elle se met à taper des mains et à se déhancher telle une Négresse. Son chant ressemble à du *gospel*, ce chant spirituel des Noirs américains dans lesquels joie et douleur explosent.

Tinila entre dans le jeu. Magnifique de complicité, elle s'amuse, rigole en essayant d'épouser les mouvements lascifs de Jacinthe et de moduler son verbe. Toutes deux s'inspirent l'une l'autre, la fesse frémissante. Tinila y prend goût, savoure l'échange et me jette des regards d'une intensité qui ne ment pas. Je revis en ma tête le *Kama Shastra*. Cette femme est une déesse. Et ma fille, dans une nuit d'ivresse des corps, a pu toucher à l'extase. Je suis comblé.

Jacinthe émet soudain un cri sauvage, hors de contrôle. Tinila lance alors le même cri et prend Jacinthe dans ses bras. Toutes deux ne bougent plus. Jacinthe s'est tue mais Tinila poursuit le cri, qu'elle transforme longuement, lentement; on croirait entendre la plainte de l'oiselle du début du *Ramayana* quand, en plein acte d'amour, l'oiseau est surpris par la mort, transpercé d'une flèche au cœur. Tinila se détache de Jacinthe et modifie sa plainte en une ligne mélodieuse, méditative. Jacinthe, doucement, reprend son *Rama* initial, remplissant l'espace d'une paix retrouvée...

Tinila a su éteindre le feu d'une Jacinthe délaissée après une seule nuit d'amour intense. Toutes deux reprennent les gestes contrôlés de la danse de Sita. Elles ne sont plus qu'une, une Sita surgie des eaux primordiales, une vision idyllique qui restera gravée dans mon esprit.

Kagong cesse d'émettre son *Om* et met ainsi fin à la séance... Les deux femmes cessent également de célébrer. Plus n'est besoin de parole, tout est commencement.

Nous laissons Tinila dans sa maison. Ses lèvres s'ouvrent sur un léger sourire. Une étincelle éclaire ses yeux noirs. Elle reprend son fils sur sa hanche, lui donne le sein comme au premier jour de notre rencontre, comme si ce qui s'est passé entre nous appartenait à une autre vie.

À l'aréoport, grâce à l'influence de Kagong, nous obtenons nos billets d'avion pour Bali. Un officier militaire, qui nous a vus au cours de la manifestation, s'oppose à notre départ. Kagong en prend alors l'entière responsabilité, affirmant que nous avons tous été coincés dans cette manif par hasard, ce qui n'est que vérité. « Il y a de la corruption dans toutes les sphères de la société», m'avait-il mentionné. Pour clore la discussion qui s'envenime, Kagong glisse quelques roupies dans la main de l'officier récalcitrant et me fait un signe discret de la main.

Les dernières paroles de Kagong avant de nous quitter sont:

— J'espère que vous allez pouvoir vous rendre au volcan Kilimutu.

Chapitre six

Celui qui voit l'inaction dans l'action
et l'action dans l'inaction,
celui-là se situe à un niveau spirituel.

BHAGAVAD-GITA

TROIS SEMAINES se sont écoulées depuis notre séjour
à Yogyakarta. Nous avons passé quinze jours à visiter
Bali, les temples, là où le temps s'arrête, dit-on, attei-
gnant une cristallisation. Dans les temples balinais, dieux
et démons sont représentés ; les démons, barbus et che-
velus à souhait, dégagent une théâtralité séduisante et
comique. Pour Jacinthe et moi, dieux et démons ont un
attrait similaire, ce qui participe à nous apaiser, à reconnaître le bien et le mal en nous, à alléger aussi la peine
de ne plus avoir à nos côtés Tinila et Xanana. Une telle
rencontre ne pouvait être que fugitive. Quitter les lieux
précipitamment s'est avéré la solution la plus salutaire
pour tous.

— C'était inscrit dans notre *dharma*, proclame
Jacinthe en riant.

Et les démons des temples balinais de rigoler avec
nous !

Le faste, les richesses, l'or dont on couvre le sacré des
temples contrastent avec l'extrême pauvreté des paysans,
qui se servent toujours du pilon et du mortier pour

moudre leurs céréales ou qui, pliés en deux, s'affairent à semer ou à récolter le riz. Le bétel, que plusieurs mâchouillent, accompagne leur délire lorsqu'ils admirent le lever et le coucher de « l'Œil du jour » qui irise de mille couleurs les rizières étagées. L'île est enchantement. La luxuriance de la végétation de Bali se reflète sur ses habitants.

Avant la conquête des Hollandais, Bali était un monde se suffisant. L'autre monde était Java d'un côté et Lomboc de l'autre, et on ne s'y rendait que rarement, par bateau à voiles.

Lomboc est situé à une heure de traversier de Bali, mais quel contraste! Une île de sable où les êtres semblent habités de la même aridité. On a l'impression d'aterrir sur une autre planète. La nature a de ces caprices que l'esprit a du mal à déchiffrer!

Nous ne sommes restés à Lomboc qu'une journée et une nuit. L'hostilité des habitants rencontrés sur la plage nous a repoussés vers d'autres rivages.

Au matin, nous nous sommes embarqués sur un rafiot qui doit nous mener à l'île de Flores. Le voyage, qui ne devait durer que deux jours et deux nuits, en est à sa troisième journée et toujours pas de Flores en vue. La voile ne sert à rien. Aucun vent et le moteur n'est pas assez puissant pour nous procurer de la vitesse. La mer est une nappe d'huile...

Après avoir longé l'île de Sumbawa, nous voilà face aux côtes de Sumba, une île que j'aurais aimé visiter parce qu'elle n'a subi aucune occupation étrangère, mais le temps nous presse.

Nous ne sommes que sept passagers. Jacinthe passe les deux premières journées à se faire dorer au soleil en compagnie d'une Italienne de son âge, Fatima, qui voyage seule depuis un mois d'une île à l'autre.

— C'est peut-être le seul pays au monde, nous dit-elle, où une femme peut voyager seule sans problème.

À observer le petit capitaine et ses quatre membres d'équipage, je n'ai aucune difficulté à croire ce qu'elle raconte. Quand Jacinthe et Fatima s'allongent sur le pont, vêtues d'un simple bikini, ils n'osent s'approcher d'elles, leurs joues rougies de gêne sur leur peau cuivrée. C'était sans compter sur les trois Australiens qui sont montés à bord munis de leurs planches de surf. Eux ne se gênent pas. Ils les dévorent des yeux tout en s'échangeant de grasses farces macho. J'en arrive à détester leur accent, que j'appréciais pourtant dans la bouche du *tennisman* Patrick Rafter. Ils se vantent à qui mieux mieux de leurs prises sur les plages de Bali, des jeunes prostituées balinaises qu'ils se sont payées à peu de frais. Ma présence refroidit cependant leur ardeur auprès des jeunes femmes et je n'ai jamais été aussi fier de jouer au père protecteur. Parce qu'ils ont l'argent que les Indonésiens ne possèdent pas, ils peuvent s'offrir des vacances à Bali, non loin des côtes australiennes. Ils se pavanent sur les plages, font du surf et, le soir venu, se comportent comme des porcs auprès des jeunes femmes d'une civilisation autrement plus raffinée que la leur. Je suis outré par leur comportement bestial, au point d'avoir honte d'appartenir à cette race blanche dont ils se glorifient.

J'ai une alliée, Chattie, la dernière des passagères, qui les rabroue aisément. Elle se moque de leur accent, rigole de leur attitude infantile, et cela, toujours avec humour, d'une voix douce, chaude, voluptueuse. Les trois Australiens en restent hébétés, se cantonnant dans leur mâle suffisance.

Chattie est une Écossaise dans la quarantaine. Elle est toute mince et a les cheveux encore plus roux que ceux de Jacinthe ; sa peau sensible de rousselée l'empêche de s'exposer au soleil. Pour elle, l'« Œil du jour » est un danger constant qu'elle guette, sa tête recouverte d'un chapeau de paille en pointe, celui que portent les femmes travaillant dans les rizières. Elle se l'est procuré dès le début de son voyage, au Viêt-nam. Ses yeux sont d'un bleu clair qui lui donne des allures de jeune fille tendre. Même ses pattes d'oie naissantes autour des yeux paraissent jeunes. Dans son regard, je crois néanmoins percevoir une tristesse profonde.

La nuit venue, nous avons d'abord essayé de dormir dans la cale, mais des blattes de plus en plus envahissantes autour de nos sacs de couchage nous ont vite chassés de là. D'un commun accord, nous avons décidé de dormir au grand air, sur le pont. Seuls les trois Australiens restent à dormir dans la cale, à croire que rien ne peut perturber leur sommeil de brutes.

À admirer la voûte céleste percée de milliers d'étoiles, Chattie, couchée près de moi, est portée à la confidence dès la première nuit. Elle m'avoue faire ce voyage seule par défi. Avant sa venue en Indonésie, elle est passée par la Birmanie et le Viêt-nam, accompagnée de son mari.

— Pendant des années, me dit-elle au cours de cette première nuit, je n'ai fait qu'attendre mon mari, un diamantaire. Pour une première fois, il m'accordait le privilège de l'accompagner dans son voyage en Asie. Je suis maintenant convaincue qu'il est impliqué dans un trafic de diamants avec des membres du gouvernement Suharto. J'espère qu'on va faire un procès à Suharto et qu'il devra payer pour les trente ans de misère qu'il a fait vivre à son peuple. Mon mari est de la même espèce de rapaces. Les êtres autour de lui sont une valeur marchande, comme les diamants qui passent entre ses mains. Il ne se soucie aucunement de la condition des hommes qui se crèvent à extraire des entrailles de la terre des diamants qui n'enrichissent qu'une classe de privilégiés. Une seule fois, je suis descendue dans une mine et j'ai vu ceux que j'appelle depuis «les oubliés de la Terre». Ces hommes sont des squelettes ambulants. Mon mari était fier de me montrer d'où provient la reine des pierres. L'éclat du diamant l'aveugle au point de l'empêcher de voir la misère qu'il participe à créer autour de lui. Ça m'a profondément révoltée. Je n'ai pu supporter plus long-temps d'être associée à ce monde d'hypocrisie, j'en ai eu la nausée. Sur un coup de tête, j'ai rassemblé mon cou-rage et je suis partie, seule, enfin libérée. Mon mari va s'en remettre facilement, j'en suis sûre.

Comme si cette dernière phrase énoncée lui appor-tait de l'apaisement, elle se tourne sur elle-même et s'endort. Dès lors, cette rencontre inopinée me réjouit. Un sommeil de quiétude m'accueille.

Pendant la plus grande partie de la deuxième jour-née, j'essaie de rester seul à l'avant du navire, face à l'immensité de l'océan. Chattie passe son temps à se cacher du soleil, sous le toit, près des membres de l'équi-page, qui jouent aux cartes pendant que Jacinthe et Fatima conversent librement, étendues sur le pont, s'échangeant sûrement leurs souvenirs de voyage. Je jette de temps en temps un regard dans leur direction, me méfiant des Australiens qui tournent autour, jouant de leurs biceps, le nez enduit d'une crème solaire blanche. Leurs épaules cuisent, mais ils ne se préoc-cupent que de protéger leur nez, comme si cet appen-dice était en quelque sorte représentatif de leur sexe. Je déteste ces êtres, qui m'empêchent d'être libre. En cette journée plus que jamais, j'aimerais être seul au monde, laisser l'enchantement de la vastitude m'envahir, me fondre à l'eau, sans plus de pensées, de souvenirs ni de devenir, mais la bêtise qui rôde chasse la solitude tant désirée.

Le soir venu, les Australiens redescendent à la cale tandis que nous répétons notre manège sur le toit de la cabine de pilotage. Jacinthe, qui allait se coucher à mes côtés, est gentiment repoussée par Chattie, qui tient à étendre son sac de couchage près du mien. Ma fille obtempère en rigolant et en me jetant un coup d'œil qui paraît sous-entendre : « Est-ce que papa aurait fait une autre touche ? » Je laisse faire. Tout est tellement calme, avec le ciel qui brille de milliers d'étoiles et une lune presque pleine, que j'ai envie d'être réceptif, d'accepter tout ce qu'on m'offrira.

Chattie a choisi délibérément de me dévoiler des choses que personne n'a encore entendues. Elle me les murmure à l'oreille dès que nous sommes installés pour la nuit et que Jacinthe et Fatima, remplies d'attentions, établissent une distance d'elles à nous :

— Dans ce trou de mine où je me suis retrouvée en compagnie de mon mari, un seul regard a suffi pour provoquer chez moi un profond bouleversement. Les yeux de cet homme m'ont transpercée de part en part. Il avait un corps jeune mais les cheveux tout blancs. Ses yeux noirs m'ont figée sur place, tel un éclair. Cet homme m'est apparu comme un ange descendu sous terre. J'ai senti que ma vie basculait. Le noir de ses yeux était d'une luminosité que jamais aucun diamant ne pourra atteindre. Dès cet instant, ma décision fut prise. Je quitterais ce mari qui m'a bernée pendant des années. Dès le matin suivant notre randonnée dans la mine, au nord de Sumatra, alors qu'il dormait toujours, je me suis levée, j'ai dérobé tout son argent, prenant garde de ne pas toucher aux diamants, qui valent une fortune, et je suis partie. Au début, ce fut difficile. Je n'avais jamais voyagé seule. Le regard de cet homme jeune aux cheveux blanchis me poursuit toujours. J'ai l'impression qu'il m'aide à naître à moi-même, à m'ouvrir les yeux sur une spiritualité que j'avais jusqu'ici ignorée parce que prise dans les filets d'un idéal matériel. Je me croyais parvenue à ce que des milliers d'autres femmes de foi chrétienne désirent : la paix, le confort. En Europe et en Amérique, des centaines de femmes se révoltent contre ce monde mené par des hommes. Je me disais alors :

« Ces femmes sont frustrées. Elles n'ont pas réussi. Tant pis pour elles ! » Maintenant, j'ai l'impression que c'est moi qui n'ai jamais rien compris. J'étais idiote. Je me sentais de plus en plus lasse ; le bien-être engourdissait mon âme. Les Asiatiques aspirent au confort matériel des Occidentaux au point d'ignorer qu'il y a aussi de la misère dans nos pays et que cette misère n'est pas que matérielle. L'esprit est présent dans l'Univers, il circule. L'être d'illumination qui m'est apparu dans les profondeurs du sol me l'a signifié. Son regard ne cesse de me poursuivre. J'ai peur. Je ne sais pas où cela va me mener. Je pensais retourner en Écosse et demander le divorce, mais même l'idée de rentrer au pays m'apparaît idiote, absurde, d'un vide total. J'éprouve un besoin extrême de puiser à cette nouvelle source spirituelle qui s'offre à moi. J'en ai encore pour un mois. Après, je ne sais pas ce que je vais faire…

Cette dernière phrase, Chattie l'a murmurée en se retournant sur elle-même pour se réfugier dans le sommeil. Ce qu'elle vient de me livrer était chargé d'émotion. Elle parlait en cherchant son souffle, avait du mal à respirer. Le plus tendrement possible, j'appuie mes lèvres sur son front. Elle dort déjà.

En cette troisième journée, le ciel est gris, couvert de nuages menaçants, et l'air est poisseux d'humidité, ce qui semble affecter les nerfs de tous et chacun, passagers et membres d'équipage. Le capitaine nous assure que dès le lendemain à l'aube nous devrions accoster sur l'île de Komodo, un îlot au bout de l'île de Flores. La journée se passe à chercher à s'éviter l'un l'autre, ce qui n'est pas facile sur un si petit navire. Jacinthe et Fatima s'isolent, chacune sur son quant-à-soi. Les Australiens ne se parlent plus, ne se rassemblent plus. Ils sont tels des loups en cage. Chattie semble me fuir. Peut-être pense-t-elle être allée trop loin dans ses confidences ? Le capitaine, du haut de sa cabine de pilotage, surveille le tout d'un œil averti. L'ambiance qui règne dans cet espace restreint pèse lourd.

Sur la fin de l'après-midi, une envie soudaine me prend de détendre l'atmosphère. Je saute dans la chaloupe de sauvetage, la seule à l'avant du navire. À ma grande stupéfaction, je constate qu'il n'y a là ni gilets de sauvetage, ni bouée, ni même de rames. Qu'à cela ne tienne, je n'en tiens aucun compte, j'ai envie de délirer. Je me mets à mimer les vents d'une mer en furie. Je suis seul dans cette petite chaloupe au milieu de l'océan, ballotté par de hautes vagues qui me fouettent le visage, je mime les vents, ma résistance au vent, les flots qui me submergent, je m'amuse comme un fou, je rame comme un éperdu, je m'épuise, je tombe au fond de la chaloupe, j'émerge pour mieux reprendre mon jeu de clown. Tous se sont rassemblés autour de la chaloupe et rigolent, même le capitaine. Les Australiens s'esclaffent à qui mieux mieux, ce qui me ravit. De les voir ainsi s'amuser me libère de mes préjugés…

Je sors de la chaloupe épuisé. Jacinthe me saute au cou et m'embrasse, chaleureuse. Sa réaction ne peut que me réjouir car je la sentais devenir de plus en plus distante. Je prenais moi aussi mes distances. Je pensais qu'elle en avait un peu marre d'être constamment en présence de son père. Nous ressentions tous les deux le besoin de respirer un peu, de prendre le large.

Le capitaine vient me féliciter d'avoir détendu l'atmosphère par mes clowneries ; les quatre membres de l'équipage rigolent entre eux en essayant d'imiter ce que je viens de faire. Les Indonésiens raffolent de tout ce qui est jeu. Dans la langue indonésienne, javanaise et balinaise, les mots *art* et *artiste* n'existent pas parce que tous le sont à différents niveaux. Pour chacun, du plus humble au plus nanti, le jeu, le théâtre d'ombres, la fabrication de masques, la sculpture, la peinture, la céramique et la danse ne sont que différentes façons de s'exprimer, de s'amuser, de converser avec les dieux.

En conclusion de cette folie passagère, Chattie, tout sourire, vient à moi et appuie ses lèvres sur les miennes. Son baiser est d'une tendresse bouleversante…

La nuit venue, que nous espérons tous être la dernière, j'ai du mal à trouver le sommeil. Le baiser de Chattie m'a révélé une fragilité d'être, une angoisse profonde, et a fait naître en moi le désir. J'aurais envie de la couvrir, de l'étreindre, de la pénétrer d'apaisement. Elle s'est jointe aux jeunes filles, toutes trois loin de moi. Peut-être, comme seule une femme peut flairer ces choses, ont-elles ressenti mon état de fébrilité et ont-elles préféré s'éloigner de moi ?

Le ciel couvert, la nuit noire, et le tangage du navire augmentant, je sombre dans un sommeil trouble.

Un éclair pourfend la nuit. Le temps de sortir de nos sacs de couchage, nous sommes aussitôt balayés par une trombe d'eau. Glissant en bas du poste de pilotage, je me cogne contre l'un des bastingages. La mer est en furie, les éléments se déchaînent. Le petit capitaine, arrimé à son gouvernail, crie ses ordres aux matelots, qui cherchent désespérément à nous faire descendre dans la cale. De peine et de misère, j'essaie de les aider. Je réussis à attraper Jacinthe et Fatima de mes deux bras. Je ne me soucie pas de leurs cris, il me faut les sauver. Je vois apparaître le jeune cuisinier, affolé, luttant contre les vents. Il crie des choses dans sa langue, agrippe Fatima et réussit à la conduire jusqu'à la porte de la cale. Péniblement, je les suis, jouxtant Jacinthe à moi d'une main, m'accrochant de l'autre à ce que je peux attraper pour ne pas que nous soyons projetés dans les abîmes. Nous réussissons enfin à atteindre la porte de la cale. Jacinthe et Fatima, transies de peur, s'accrochent l'une à

l'autre pour descendre l'escalier. Je repars de plus belle
sur le pont avec le cuisinier. Il est tout petit, mais a une
force étonnante. Nous crions comme des déchaînés mais
on ne s'entend pas. Charrié par une trombe d'eau, j'arrive juste à temps pour attraper une jambe de Chattie,
qui allait passer par-dessus bord. Je la serre contre moi
tout en me retenant d'une main au parapet. La fureur de
l'orage s'empare alors de moi. J'appuie ma tête contre
celle de Chattie et l'embrasse à pleine bouche. L'eau qui
gerbe, nos salives qui se mélangent, le bateau qui tangue
à tous vents, je me déchaîne tels les éléments. Je veux
boire son angoisse. Tout son corps se colle au mien. Je
laisse le parapet et la soulève, elle pèse une plume. Je me
sens investi de la force des dieux. Aussitôt, nous sommes
foudroyés, projetés sur le pont. Nous rampons jusqu'à la
porte de la cale. Chattie déboule l'escalier. Je me ressaisis
et repars de plus belle en lui criant qu'il me faut aider les
membres de l'équipage !

Cette tempête n'est plus un jeu. Elle n'a rien de la
tragédie de Shakespeare qui m'a bousculé intérieurement
dans la salle de méditation. Dieux et démons sont
démontés et nous trimballent de babord à tribord comme
de vulgaires jouets. Je me sens d'attaque, prêt à affronter
la démence du dieu des eaux. Je réussis à monter dans la
cabine de pilotage, près du capitaine. Je l'aide à retenir le
gouvernail. Soudain, juste devant nous, un énorme cargo
surgit. Il fonce sur nous… En un même réflexe, un seul
élan, nous tournons le gouvernail dans le même sens…
De justesse, nous arrivons à l'éviter, mais le cargo poursuit
sa route en effleurant notre petit rafiot, le cognant dans
des bruits de tôle inquiétants… Nous lançons des cris de
joie. Nous venons de frôler une mort certaine. Ce masto-
donte nous aurait broyés, projetés au fond des eaux. Le
capitaine me saute dans les bras. La tempête continue à
faire rage, mais je ris à gorge déployée et tournoie avec lui.
Les éclairs à répétition nous éblouissent…

Tel un enfant, je n'ai qu'une hâte : partager ma joie avec Chattie. Les vents m'aident, me transportent, je n'ai plus à lutter, les dieux m'accompagnent.

Rendu au pied de l'escalier de la cale, une vision me renverse. J'ai du mal à concevoir ce que je vois. L'un des Australiens, en rigolant bêtement, fait pirouetter au bout de ses doigts le soutien-gorge de Fatima, qui essaie tant bien que mal de couvrir ses seins nus. Jacinthe vient d'appliquer un coup de pied dans l'entrejambe de l'autre Australien, qui l'agressait ; plié en deux, il se lamente. Le troisième, les yeux exorbités, fait face à Chattie, qui, tout en changeant de vêtements, le tient à distance en les engueulant tous les trois. Ma rage est instantanée, brutale. Je soulève une de leurs planches de surf et, de toutes mes forces, en assène un coup sur les deux gars qui sont près de Jacinthe et de Fatima. L'un tombe, l'autre chancelle et s'affaisse sur le corps de Jacinthe, qui le repousse de toutes ses forces. Le troisième se retourne sur moi, l'air enragé, hébété. Curieusement, je n'en ai aucunement peur. Il ressemble à l'une des brutes épaisses du film *Crocodile Dundee*. Alors qu'il s'apprête à se jeter sur moi, le tangage du bateau le projette sur Chattie, qui essaie vainement de s'en dépêtrer. La furie s'empare de moi. D'une force décuplée, j'agrippe ce minable par les cheveux et lui assène un coup de tête en pleine figure. Je recule, suis entraîné vers l'arrière, ramené à la raison par un cri de Jacinthe :

— Papa, arrête !

Celui que je viens d'assommer d'un coup de tête a le nez en sang. Je porte ma main à mon front : je saigne, suis étourdi. Je chambranle jusqu'à Chattie et m'affale. Elle m'aide à m'asseoir, puis à m'étendre.

Le capitaine crie ses ordres du haut de l'escalier. Trois matelots descendent en vitesse et se positionnent au centre de la cale devant deux des Australiens, qui se relèvent avec l'intention évidente de contre-attaquer.

J'essaie de réagir, puis n'entends plus rien, ne vois plus rien...

Quand je reprends conscience, Chattie, pleine d'attentions, est à me couvrir la tête d'un bandage. Elle me sourit. Le tangage du navire a de beaucoup diminué. On m'a habillé de vêtements secs. À mon grand étonnement, j'aperçois Jacinthe près de celui à qui j'ai possiblement cassé le nez. Jacinthe rit, c'est un bon signe. Elle a sorti sa trousse de premiers soins, a essuyé le sang et s'applique à redresser les cartilages de l'appendice malgré les lamentations du molosse. Les deux autres sont auprès de Fatima, qui a revêtu pantalon et chandail. L'un d'eux affirme qu'il a été débordé par une excitation hors de son contrôle. « La tempête, dit l'autre, est la cause première de toute cette effervescence. » Fatima finit par les excuser, mais le tremblement de sa voix révèle qu'elle n'est pas prête à tout pardonner.

Jacinthe, après avoir rangé sa trousse de premiers soins, s'approche de nous.

— Jamais je ne t'ai vu possédé d'une telle violence, me dit-elle. Tu m'as fait peur.

Je ne sais trop que répondre. Cette décharge d'adrénaline qui m'a transformé en bête furieuse m'effraie autant, sinon plus qu'elle.

Je leur raconte alors la seule autre fois où la violence m'a ainsi fait perdre le contrôle de moi-même :

— J'avais quatorze ans. Moi et un autre garçon de mon âge, plus grand et musclé, voulions courtiser la même petite fille, qui n'arrivait pas à se décider entre nous deux. Lui m'a défié. Il voulait qu'on se batte pour déterminer le gagnant. Je trouvais ça stupide mais, par bravade, je n'osais pas l'admettre. J'avais peur parce qu'il paraissait beaucoup plus fort que moi. Je me suis jeté sur lui. Je voulais tuer la bêtise. Je l'ai assommé contre un coin des casiers d'acier de notre école. J'y cognais sa tête à répétition. Si on ne m'avait pas arrêté, j'aurais pu le tuer. Cet événement m'a tellement bouleversé que je me suis alors juré que jamais plus je ne me battrais. Mais voilà! quelque trente-cinq ans plus tard, je tombe dans le même travers!

Jacinthe semble rassurée par mon récit. Son regard s'apaise, rempli d'une confiance renouvelée. Elle s'éloigne pour se joindre à Fatima, qui a bien besoin d'une présence féminine auprès d'elle. Ma fille a toujours eu cette prévenance à l'égard des êtres qui la touchent. Déjà, à la garderie, je l'ai vue protéger une fillette deux fois plus grande qu'elle assaillie par une ribambelle d'enfants. Je lui dois beaucoup.

Chattie m'a enveloppé de couvertures, que les matelots ont mises à notre disposition. J'ai envie de la prendre dans mes bras, d'embrasser l'Écosse entière. Je dis:

— Qu'est-ce qui m'a pris? Je ne comprends pas.

D'une caresse de ses doigts sur mes lèvres, Chattie me fait taire, puis elle se glisse sous les couvertures et s'allonge contre moi, sa tête sur mon épaule. Après un moment de silence, elle murmure, tranquille:

— L'autre nuit, je ne t'ai pas tout dit. Il y a un an, j'ai souffert d'un cancer de la gorge. J'ai reçu des soins de chimiothérapie. J'ai perdu tous mes cheveux. J'avais l'air d'une moinesse zen. Qui sait? C'est peut-être à partir de ce moment-là que j'ai eu envie de connaître l'Asie.

Chattie rigole un peu puis poursuit:

— Mes cheveux ont repoussé. J'étais en rémission. Et voilà qu'on découvre que le cancer a atteint mes ovaires. La chimio était à refaire. J'étais désespérée. Je ne voulais plus de cette chimiothérapie qui me faisait souffrir terriblement. J'ai cru que ce mal révélait un mal plus profond et j'avais raison. Mon âme était en souffrance et je l'ignorais. Mon mari s'envolait une autre fois vers l'Asie. C'est moi qui ai insisté pour l'accompagner.

D'après les médecins, mes jours sont comptés. Je devrais mourir dans six mois. Je ne l'accepte pas, je veux vivre, et depuis que je suis ici, plus que jamais. Je suis convaincue que cet illuminé de Sumatra a su voir le mal qui me ronge. Ses yeux m'ont traversée jusqu'au bas-ventre. Sur le pont, quand tu m'as retenue, je me laissais glisser dans la mer. J'étais magnétisée par la tourmente, attirée par le gouffre. Tu m'as embrassée et tu as provoqué une bourrasque inverse. J'ai eu envie que ta folie emporte mon mal de vivre.

Chattie se tait. Larmes aux yeux, ses lèvres sur les miennes, elle mumure :

— Maintenant, il nous faut dormir, la nuit est courte.

Son récit me bouleverse. Je la serre de tendresse contre moi. Elle dort déjà. Je veille, impuissant.

La mort ! Nous nous inventons des dieux pour nous rassurer face à l'inexplicable. Nous nous créons des chants, une musique, pour juguler une force qui nous étrangle. Le rire nous sauve parfois de l'absurde. Le jeu, l'humour ne sont que des radeaux d'espoir.

Chattie, assoupie en toute confiance dans mes bras, me remue de tendresse jusqu'à l'âme. L'amour est au-dessus de tout.

Vers la fin du *Ramayana*, Brahma veut que Rama redevienne Vishnou auprès de lui, mais une sève humaine coule désormais dans ses veines, ce qu'aucun dieu, fût-il Brahma, ne saurait connaître : l'amour.

Aux petites heures du matin, tous autour de moi sommeillant profondément, je réussis finalement à fermer l'œil et coule imperceptiblement dans l'univers onirique :

Un être de lumière, une femme, montée sur un tigre au pelage blanc rayé de noir, me tourne autour. Ses odeurs fauves sont enivrantes. La femme se penche sur moi. Les pigments de sa chair sont d'un rouge translucide; les os de son corps m'apparaissent d'une dorure transparente; je vois le sang couler dans ses veines. De ses doigts lumineux, elle caresse ma tête, puis traverse mon cuir chevelu et excite mes neurones jusqu'à faire éclater mes synapses d'une jouissance qui s'étale dans toutes les particules de mon corps. Elle glisse alors de sa monture et s'étend sur moi. Son sang rouge clair coule dans mes veines; l'or malléable de ses os fond dans tout mon être. J'en suis ébloui d'étonnement! Le tigre continue à tourner autour de nous, nous étourdissant de son arôme animal. Cette déesse incarnée me fait naître à l'extase, à la découverte d'un univers inconnu! Mon être se dilue dans une eau pure. Un air jamais ourdi, accompagné d'éclatantes gouttelettes d'eau qui se propulsent dans l'espace, se fait entendre; des mots s'articulent, semblant provenir de la bouche même de Vishnou, les eaux des mers étant le lieu de prédilection où il se glisse pour dormir:

«La vie est multiple, chante une voix de castrat. Tu renaîtras. Tel est le merveilleux de ce monde!»

Cet air me recompose. Je bascule d'un côté à l'autre de mes deux hémisphères excités d'émulsions éthériques. Je voyage entre Orient et Occident, mort et vie, illusion et réalité, homme et femme!

J'ouvre les yeux avec l'impression d'avoir plongé en apnée pendant des heures. J'ai du mal à émerger.

Le capitaine nous annonce que nous arrivons à quai!

Que signifie mon rêve? Le tigre blanc dans l'iconographie hindoue est la monture de Shakti, le pendant féminin de Shiva. Est-ce la présence de Chattie collée sur moi qui a ainsi bousculé mes sens? Est-ce son odeur de rousse qui a fait naître dans mon rêve une bête fauve d'une chaleur envoûtante? Ce tigre sauvage, créature de mon subconscient, était possédé d'une sensualité non encore explorée où le nom de Chattie s'accolait à celui de Shakti. Les dieux de l'Asie me visitent! Vishnou m'aide à me dépêtrer de la toile d'araignée que j'ai tissée.

Chapitre sept

Celui qui voit du même œil l'échec et la réussite
ne s'enlise jamais.

BHAGAVAD-GITA

Nous venons de débarquer sur l'île. Fatima, qui s'était attardée sur le bateau, nous rattrape à la course. À bout de souffle, elle nous avise qu'elle a décidé de repartir sur le même bateau, au début de l'après-midi, après que l'équipage se sera reposé et réapprovisionné. Le capitaine l'a assurée qu'il n'y aura pas de tempête pendant le voyage de retour et que, les vents aidant, ils pourront utiliser la voile et arriver à destination plus rapidement. À cette époque de l'année, lui a-t-il affirmé, l'ouragan qui a fait rage est exceptionnel.

Ébranlée par les événements de la nuit, Fatima, tremblante d'émotion, se confie tout en prenant garde de ne pas être entendue des Australiens qui nous suivent, leurs planches de surf sous le bras :

— Je ne peux plus supporter leur présence, dit-elle, ses joues rougissant de gêne et de colère. Ils me déshabillent du regard. J'ai l'impression d'être violée à tout instant. Pour le voyage de retour, je serai la seule passagère, et j'en suis ravie. Les Indonésiens sont respectueux. J'ai hâte de me retrouver à Bali.

La visite de l'île n'a rien pour la rassurer : un paysage quasi lunaire, une terre desséchée où poussent des arbres squelettiques aux feuilles jaunies, comme si cet îlot était affaibli par l'âge. Komodo, le nom de l'île, est aussi celui que les Indonésiens attribuent aux reptiles sauriens qui l'habitent, des varans, bêtes préhistoriques à quatre pattes, en voie de disparition, qu'on préserve sur cette île au décor antédiluvien. Les komodos s'exposent au soleil pendant des heures, dans une totale immobilité, leur seule façon de récupérer de l'énergie, de réchauffer leur sang. La peau écailleuse de ces bêtes est d'un gris sale, de la même teinte que la terre desséchée sous leurs pattes. Elles ont l'air de troncs d'arbres échoués qui auraient vogué sur la mer depuis des temps immémoriaux. Le guide qui nous conduit est armé d'un long bâton, avec lequel il repousse la bête quand elle s'approche trop près.

— Il faut s'en méfier, nous dit-il. Le komodo peut être d'une vitesse fulgurante. L'année dernière, un touriste s'est écarté de son groupe. Un komodo s'est approché de lui. Un des guides l'a aperçu, a crié, mais il était trop tard. L'homme a été dévoré en l'espace de quelques secondes, sans même avoir eu le temps d'émettre un son. Le guide nous a rapporté sa montre, que le komodo avait recrachée avant de s'enfuir.

Ce récit me donne la chair de poule. Je ne peux m'empêcher d'établir un parallèle entre les petits yeux de cette bête féroce et ceux de la brute épaisse à qui j'ai cassé le nez et qui me poursuit d'un regard porcin. Je ne sais trop de quelle bête j'ai le plus peur. L'une est tenue en respect par le long bâton du guide, mais l'autre est libre de ses gestes et paraît possédée de l'esprit revanchard de tous les *rakshasas* de la Terre. Je me sens vulnérable ; j'en ai des frissons dans le dos.

À la fin de la matinée, le guide nous mène dans un enclos entouré de broche à poule, au centre duquel est dressé un comptoir où l'on sert sandwichs et café. C'est le monde à l'envers. On nous enferme telles des bêtes alors que, tout autour, les komodos déambulent librement. On leur jette des quartiers de bœuf qu'ils dévorent en quelques secondes. Du coup, je n'ai plus faim. Jacinthe, Chattie et Fatima repoussent également leur assiette. La dizaine d'autres touristes ne semblent pas affectés outre mesure par ce spectacle qui me donne envie de vomir. Le manque de sommeil exacerbe nos nerfs. Les trois Australiens, eux, gobent leurs hamburgers avec appétit. Ils se régalent aussi du spectacle, dévorant des yeux la gueule ruisselante de sang des komodos.

Quand deux des komodos se rapprochent, on nous invite à les observer de plus près, ce que nous faisons, prudemment. Je suis fasciné par celui qui est juste au-dessous de moi. Il ne bouge plus. Seule une longue et mince langue verte à double fourche sort de sa gueule et y rentre, en un mouvement régulier, comme s'il salivait à la vue de la pièce de résistance que nous pourrions représenter. Son immobilité m'hypnotise, je bascule à l'époque des dinosaures. L'Australien aux yeux porcins est tout près. Je sens sa présence. Combien de milliers d'années nous faudra-t-il encore pour arracher de nos racines le monstre sanguinaire toujours présent en chacun de nous ?

Un violent coup dans le dos me projette contre la clôture. Je perds l'équilibre, essaie de me retenir à la broche, mais la clôture cède sous mon poids. Emmêlé dans la broche, je m'affale à côté du komodo. Au même instant, j'entends des cris de frayeur. Je perçois tout au ralenti. Pendant que je lutte pour me dépêtrer de là, j'aperçois la gueule ouverte du komodo au-dessus de moi ; elle m'apparaît d'un rouge d'enfer. D'un geste instinctif, je soulève la broche pour me protéger. Le komodo mord. Le guide enfonce son bâton dans la gueule du monstre, qui lâche prise et s'enfuit. J'ai l'impression d'être dans un rêve d'une violence extrême. Jacinthe et Chattie m'aident à me relever.

Que s'est-il passé? On s'empresse de replanter deux des piquets de la clôture et de remplacer la broche tordue. Jacinthe me serre dans ses bras. Chattie soigne mes blessures. J'avais raison de me méfier de l'Australien! C'est lui qui m'a poussé. Cerné par les touristes et les guides, il prétexte que c'est un accident, que lui-même a été bousculé. Un des touristes est furieux. Cet homme, dans la soixantaine, à la barbe blanche, lui aussi australien, proclame avoir tout vu, que l'autre a délibérément accompli son méfait.

Sirène stridente! Un fourgon militaire arrive à toute vitesse. Deux militaires, armés de mitraillettes, en descendent. Un guide, après avoir discuté avec eux, leur désigne le coupable d'un doigt tendu. Ce geste, de la part d'un Indonésien, est irrévocable. On m'a déjà expliqué: pointer du doigt, dans ce pays, est un geste de provocation, d'attaque, de défi, d'accusation. Pour désigner quelqu'un, il faut toujours tendre la main entière, ouverte, dans un geste d'accueil.

Les militaires écartent tout le monde et encerclent l'Australien. Ses deux compagnons s'opposent à son arrestation. Tous gueulent, chacun dans sa langue. Jamais je n'aurais cru qu'un jour viendrait où des militaires, quelque part dans le monde, prendraient ma défense. Je déteste les militaires du monde entier, une engeance payée pour perpétuer la violence institutionnalisée.

Les trois Australiens, avec leurs sacs à dos et leurs planches de surf, sont entraînés de force dans le fourgon, qui repart sur les chapeaux de roues, sirène hurlante.

J'en reste abasourdi. Le guide me demande si je veux porter plainte, spécifiant qu'ici ils doivent faire respecter l'ordre. «Il en va de la sécurité des touristes», dit-il.

L'Australien sera incarcéré si je porte plainte. Si je ne le fais pas, lui et ses compagnons seront expédiés *illico* dans leur pays.

— Je n'ai aucunement l'intention de porter plainte. Qu'ils soient disparus de ma vue me satisfait.

Voilà, c'est terminé.

Nous raccompagnons Fatima au quai. Même si les Australiens ne sont plus là pour la harceler, elle tient à repartir vers Bali, la seule île où elle s'est sentie heureuse, dit-elle.

Juste avant d'embarquer, elle attire Jacinthe à part. Je ne peux entendre ce qu'elles se disent. Fatima entoure Jacinthe de ses bras et la serre contre elle, alors que celle-ci reste les bras pendants, passive, une réaction inhabituelle chez elle et qui m'étonne. Fatima s'enfuit sur le bateau sans même nous saluer. Alors que le navire prend le large, les membres d'équipage nous saluent. Fatima a disparu. Nous ne la reverrons plus.

Qu'a-t-il bien pu se passer? Je n'ose poser la question à Jacinthe, qui reste repliée sur elle-même, soucieuse. J'attendrai qu'elle veuille librement livrer ce qui la préoccupe.

Chattie ne sait plus trop vers quelle destination se diriger. Jacinthe et moi espérons qu'elle nous accompagne jusqu'au Kilimutu. Elle hésite, se sent perdue. Je lui montre alors la toile de Kagong et nous l'entretenons de notre séjour à Java. Nous lui narrons en bref l'histoire du *Ramayana*, y mettant tout l'enthousiasme possible pour la sortir de sa torpeur. Comme elle demeure hésitante, je décide de lui raconter mon rêve de la nuit précédente.

L'œil de Chattie s'anime. Lorsque je lui expose ma théorie sur Shakti, déité védique que je relie à son propre nom, elle rougit de contentement. Jacinthe reste en retrait, refermée comme une huître. Exprime-t-elle un désaccord sur ce que je raconte ou est-elle préoccupée par le départ de Fatima ? Sa présence soudainement me gêne, je me sens brimé. À l'exception des tournées théâtrales, j'ai toujours préféré voyager seul, et même ma fille, pour qui j'éprouve un amour indéfectible, est un obstacle à ma liberté. L'émancipation, autant pour elle que pour moi, s'avère difficile. Nos univers ne se croisent plus. Notre différence d'âge y est sûrement pour quelque chose...

Afin de chasser ces sombres pensées, j'éclate de rire, ce qui a pour effet de surprendre et Chattie et Jacinthe, qui se regardent, hébétées. J'attrape Jacinthe, la soulève de terre et la fais tourner en rond comme quand elle était petite. Je lui dis que je l'aime et, en riant de plus belle, j'avoue la raison de mes scrupules, de ma gêne.

Jacinthe bondit, une saine jeunesse retrouvée. Elle franchit aisément le fossé des générations, que je n'arrivais pas à combler. Elle dit, avec un franc sourire :

— Papa, jamais je n'aurais cru que tu puisses douter que ta quête spirituelle m'intéresse ! J'observe, j'écoute. Je m'interroge, je t'interroge. À travers tout ça, j'essaie de me définir. Moi aussi, j'aimerais que tu ne sois pas toujours témoin de ce que je vis, mais le voyage nous y force et j'aime ça. Je ne voulais pas te parler de mes problèmes. Je te raconterai, mais pas maintenant. J'ai besoin de temps. Je ne te remercierai jamais assez de m'avoir payé ce voyage. Quand j'étais petite et que tu partais, je me demandais : « Qu'est-ce qu'il fait ? Où est-il ? Pourquoi part-il alors que mes compagnes ont toujours leur père près d'elles ? » J'ai souvent pleuré, mais c'est fini. Je t'aime.

Jacinthe m'embrasse. Je ris avec elle.

Chattie s'est rapprochée et nous entoure de ses bras. Elle dit :

— Si vous m'acceptez, je vais venir avec vous deux jusqu'au Kilimutu.

L'après-midi même, après avoir traversé sur l'île de Flores, nous nous retrouvons dans un car bondé, pour un long parcours avec arrêt obligatoire la nuit venue.

Seule Chattie a trouvé une place assise, qu'un jeune Indonésien lui a cédée gracieusement. On offre à Jacinthe le même privilège, mais elle préfère rester debout à mes côtés. Bringueballés, tassés, pendant trois longues heures nous sommes forcés de humer le crottin des poules qui caquètent à qui mieux mieux dans leurs cages d'osier accrochées au porte-bagages. Il y a aussi les cris spasmodiques assourdissants d'un cochon retenu au fond du car. Le folklore indonésien! Étourdissant! On est loin du charme florissant de Bali. Ici, défilent des forêts de sapins qui me rappellent les Laurentides, en plus montagneux. Dans les villages, aucune pagode ne vient égayer le paysage. L'exotisme architectural me manque. Flores est une ancienne colonie portugaise. Les missionnaires chrétiens, se croyant investis de la seule vérité, ont imposé leur foi en un Dieu unique et ont implanté leurs petites églises au centre des agglomérations de cabanes que l'on traverse. Cette réalité m'attriste. Ils ont tout détruit, sans égard à l'érection, il y a des milliers d'années, d'une civilisation autre.

Après deux heures de voyagement, Jacinthe entreprend de me raconter ce qui l'a troublée au départ de Fatima. Elle doit presque crier pour se faire entendre mais, on s'en fout, personne ne la comprend:

— Sur l'île de Komodo, j'étais prête à tout te révéler, mais la présence de Chattie me gênait. J'aimais beaucoup Fatima, mais pas comme elle aurait voulu. Dès la première journée sur le bateau, on s'est liées d'amitié. La journée où tu nous as fait rire dans le canot de sauvetage, une terrible tension existait entre elle et moi. La nuit précédente, alors que je suis dans un demi-sommeil, elle entre dans mon sac de couchage et me caresse. Je suis troublée, je ne réagis pas. Peut-être prend-elle ça pour un encouragement de ma part? Elle glisse sa main sur mon sexe. Outrée, je la repousse. Elle devient hystérique et affirme que je lui ai fait des avances dès notre rencontre. J'ai beau lui dire qu'elle se trompe, que moi, je ne peux croire qu'à l'amitié entre deux femmes, elle est blessée, elle pleure de rage. J'étais déboussolée. Pour en finir, je lui ai dit sèchement de prendre ses distances. J'étais triste. Le lendemain, elle était très tendue, jusqu'à ce que tu fasses le clown. Tu as détendu l'atmosphère. Puis la tempête est survenue. Et voilà que les Australiens se pointent et nous agressent! C'était trop! Après que tu sois intervenu, elle m'a dit que jamais une femme n'aurait agi avec une telle bestialité. Elle avait peur, elle pleurait, elle s'est collée à moi, tremblante de tous ses membres. Je l'ai caressée pour la calmer. Mes caresses l'ont excitée. Je ne savais plus comment agir. Une nouvelle fois, j'ai dû la repousser, le plus tendrement possible.

— Ça me rappelle les fois où, à ta garderie, tu prenais la défense d'une grande fille qui était impuissante à se faire justice. Je t'aime, ma chouette!

Jacinthe s'approche tout près de mon oreille. Elle n'a plus à crier:

— Quand Fatima m'a prise à part sur le quai, elle m'a dit que, rendue à Bali, elle allait se faire tatouer sur l'épaule gauche un cœur transpercé d'une flèche avec mon nom dessus et des gouttes de sang jusqu'à son sein parce que j'avais effleuré de mes lèvres son épaule nue. Je n'ai pas su que répondre. Il y avait de la folie dans ses yeux. C'était tellement démesuré que j'avais décidé de n'en parler à personne. Depuis, j'ai de la peine! Quand tu as dit que tu aurais aimé te retrouver seul avec Chattie, ça m'a fait du bien. Toi, mon père, tu aimes les femmes! Moi, ta fille, j'aime les hommes!

Jacinthe se tait. Tendrement, je la serre contre moi. Elle poursuit:

— Je n'arrête pas de penser à Xanana. Tu nous as surpris dans l'amour. Sur le moment, ça m'a gelée, mais la douceur avec laquelle tu as refermé la porte nous a transportés tous les deux, comme si tu venais de nous accorder ton assentiment. Tu nous approuvais, tu étais avec nous. Xanana est un amoureux plein d'attentions, inventif. C'était merveilleux. Je n'ai jamais connu une telle jouissance partagée. J'ai cru mourir d'intensité amoureuse. Au matin, la mort de Noam nous a séparés, peut-être à jamais!

Jacinthe a les yeux pleins d'eau. Elle me fait jurer que ce que je sais de sa relation avec Xanana restera entre nous.

En quittant Montréal, Jacinthe a laissé un ami avec qui elle vit depuis un an. La sachant partie avec son père, cet ami était convaincu qu'elle lui resterait fidèle.

— Si tu le désires ainsi, lui dis-je, jamais ce secret ne sera divulgué.

Aucun mot n'est ajouté. Yeux dans les yeux, le serment est gravé.

Je redécouvre ma fille!

Je l'aime!

Chapitre huit

Avec le jour de Brahma
naissent toutes les variétés d'êtres.

BHAGAVAD-GITA

ÉREINTÉ, JE TOMBE comme une roche dans le lit d'une chambre de motel minable. Jacinthe et Chattie ont convenu de prendre une chambre ensemble. « Ça nous changera », ont-elles conclu en riant. Nous sommes en haute altitude, il fait froid et les propriétaires du motel n'ont qu'une seule couverture à nous offrir. « Flores n'est pas Bali, il y vient beaucoup moins de touristes », dit la propriétaire pour s'excuser du désagrément. De surcroît, je constate que mon sac de couchage est encore humide. Et comme un malheur ne vient jamais seul, après le repas du soir nous apprenons que la viande qu'on nous a servie, et que nous avons appréciée, était du chien.

Le patron ne comprend pas qu'on puisse s'en offusquer :

— Je croyais vous faire plaisir, dit-il dans un anglais malhabile. C'est un cadeau, une surprise. En Indonésie, on mange du chien dans des occasions spéciales. Cela est gage de bonheur. J'étais tellement content de vous voir arriver. J'ai dit à ma femme : « On va leur offrir du chien, ils vont être contents. »

Et se tournant vers moi, un large sourire de contentement naïf accroché aux lèvres, il ajoute :

— Manger du chien donne de la vigueur sexuelle à
l'homme !

Le regard de complicité qu'il jette alors à sa femme a
le don de nous faire rigoler et d'apaiser nos scrupules.

J'ai préféré taire les souvenirs qu'ont réveillés en moi
les explications du propriétaire, mais ils reviennent me
hanter alors que je cherche désespérément chaleur et
sommeil. Adolescent, je travaillais chez un boucher les
fins de semaine, à éviscérer poules, poulets et dindes.
J'étais devenu un expert ; un poulet aux trente secondes,
et une dinde à la minute. Manipuler viscères et jaunes
d'œufs m'a m'écœuré au point où même l'odeur du gril
me donnait la nausée. Œufs et volailles ont été rayés de
mon menu pendant cinq ans. Qui plus est, l'abattoir
était situé juste à côté d'où je travaillais. Là, on ne perd
pas de temps, un porc passe de la vie à l'état de saucisses
en une demi-heure. Un agneau se fait dépecer en vingt
minutes. On abat le bœuf d'un coup de massue. Il est
attaché par les naseaux à un anneau fixé au plancher. Un
seul coup suffit. Bang ! Un jour, le maître-boucher me
lance un défi et, pour se moquer, prenant les employés à
témoin : « Viens, Guillaume le vigoureux, le conquérant.
On va voir de quoi tu es capable ! » Il me place la massue
dans les mains, face au bœuf, qui, pattes d'en avant
fléchies, me fixe de ses yeux globuleux. L'animal me
transmet sa frayeur, mais je ne veux pas avoir l'air d'un
couard. En fermant presque les yeux, je lève la masse et
l'abats sur la tête du bœuf. La bête chancelle, puis se
relève en meuglant, du sang lui pissant par la gueule et
les naseaux. Le boucher m'engueule : « Tu ferais mieux
de retourner à tes études ! Tu manques de cran ! Tu ne
seras jamais un bon tueur... » De rage, je soulève de
nouveau la lourde masse, l'abats de toute ma force et

défonce le crâne du bœuf. Le boucher rigole et me renvoie à mes volailles. Pour m'humilier davantage, il ajoute : « Tu n'es bon qu'à ça. » À partir de ce moment fatidique, pendant des années, tels les Indiens de mon pays, j'aimais accomplir un rituel de quelques instants, en silence, avant chaque repas de viande, afin de remercier l'esprit de l'animal qui alimente mon énergie. Encore aujourd'hui, je suis incapable de manger du bœuf, surtout depuis qu'on le gonfle aux hormones.

Au Tibet, lieu de haute spiritualité avant que les Chinois l'envahissent, les moines bouddhistes décrétaient : « Le chien a des ailes rouges comme le feu ; il a des yeux mais ne voit pas ; des oreilles mais n'entend pas ; il vit par ses viscères. » De toute évidence, le patron du motel n'avait pas tort. Mes viscères s'éveillent à l'appétit sexuel. Je me retrouve avec une érection que je ne m'explique pas. Tout mon corps est bandé d'une énergie sensuelle incontrôlable. Serait-ce le produit de mon imaginaire ?

J'ai l'impression qu'on vient de cogner à ma porte. Suis-je dans un état second pour ainsi imaginer quelque présence fantomatique ? Après avoir noué la couverture à ma taille pour couvrir mon érection, j'ouvre.

Chattie est là, tremblante de froid dans sa robe de nuit. Le temps de m'apercevoir que la nuit est noire, je la couvre de mes bras pour la réchauffer et la faire entrer dans la chambre.

Elle s'excuse et tient à me rassurer :

— Jacinthe dort. Je n'arrivais pas à dormir. Il fallait que je te voie.

Je conduis Chattie jusqu'à mon lit en lui frictionnant le dos et les bras.

Elle ajoute :

— Jacinthe s'est confiée à moi. Elle ne se doutait sûrement pas que j'allais te parler cette nuit-même de ce qu'elle m'a révélé.

Je suis intrigué. Je ne sais plus si Chattie tremble de froid ou d'émotion. J'allume une chandelle et la frictionne de plus belle, fortement. Le sang circule. Elle poursuit :

— Jacinthe a voulu qu'on se retrouve dans la même chambre parce qu'elle ressentait le besoin de se confier à une autre femme. Elle craignait ta réaction à cause de ce qui s'est passsé sur le bateau avec les Australiens. Ne te méprends pas ! Elle a approuvé ton geste, mais ta violence l'a effrayée ! Ce qu'elle n'a pas osé te dire est assez simple, mais je peux comprendre ses réticences. Elle attend ses règles depuis trois semaines. Elle pense être enceinte.

Sur le coup, je ne sais comment réagir. Moi, qui craignais avoir engrossé Tinila, voilà que j'apprends que Jacinthe, dans l'extase amoureuse vécue avec Xanana, porterait le fruit de cet hymen en son ventre.

— C'est merveilleux ! dis-je à Chattie. Je pourrai être grand-père ! Et l'enfant né d'une telle rencontre ne peut être qu'enchantement !

La pupille dilatée des yeux de Chattie s'irise de vert. D'un mouvement tendre, elle me pousse sur le lit. Je chavire sous elle. Tel un serpent, elle enlève sa robe de nuit puis glisse ses pieds pour me défaire de la couverture. Elle souffle à mon oreille : « Ta vigueur donne raison au patron du motel. » Elle s'amuse, emprisonne mon érection entre ses cuisses, puis glisse pour y frôler ses seins. Elle remonte jusqu'à mon visage, apposant ses lèvres humectées tout le long de mon corps. La douceur de sa peau et ses odeurs fauves de rousse sont d'un réel qui me grise. Nous nous bouleversons yeux dans les yeux. Nous nous abandonnons à l'ivresse de nos peaux. Insatiables, nous nous caressons de tous nos membres. Ma tête entre ses cuisses, doux étau fragile, mes lèvres s'appuient à ses lèvres humidifiées, puis ma langue explore, pénètre son intérieur. Je m'enivre de ses effluves. Ses sucs coulent et éveillent mes sens. Tout mon être s'évertue à fouiller les recoins d'un cours d'eau où loge un crabe qui corrode ses rives. J'ai l'impression de défier la mort, personnage sinistre !

Chattie m'attrape par les cheveux et me soulève la tête d'un mouvement brusque. Ses yeux sont d'un vert translucide, électrisant. De ses mains vives, elle m'ébouriffe les cheveux et s'anime de nouveau le long de mon corps pour surgir, tigresse qui me chevauche. D'une main ferme, elle attrape mon érection et s'en pénètre. Sa chevauchée, d'abord lente, se fait de plus en plus rapide. Elle se tord dans tous les sens, éveillant en moi une ardeur bestiale, me transmuant la nature féline du tigre, monture de Shakti à laquelle Shiva ne se soumet pas. Ses yeux verts atteignent des teintes vitreuses où dansent des formes d'une sensualité lumineuse. Le rituel s'invente. Un pic montagneux traverse une caverne chaude, moule d'énergie. La Terre entière est rivée à un axe vibrant. Un volcan gronde et veut érupter. Nous apprivoisons les flammes, les couvons, les retenons, ne les refoulant que pour mieux en jouir. Nous atteignons des sommets inaccessibles. Une pagode de feu s'érige, au-delà de toute retenue. Nous respirons l'éther d'une voie céleste. La lave du volcan s'écoule et brûle tout sur son passage. Un cri, un hurlement perce la nuit puis se métamorphose en une mélodie d'eau douce !

Une mer de lait calme les ondes et nous ramène sur Terre.

L'un sur l'autre, nous respirons à peine. Le temps est suspendu.

Sonder plus à fond eût été impossible !

Nous sommes deux épaves échouées sur la berge d'une terre inconnue.

Après un long silence à reprendre notre souffle, Chattie murmure à mon oreille :

— Cinq années se sont écoulées depuis que j'ai fait l'amour. Jamais comme maintenant ! J'ai eu la sensation d'être possédée par un dragon. Ses flammes me brûlaient au sexe, puis au ventre, au plexus, au cœur. C'était horriblement souffrant. Je luttais contre le mal. Je voulais vaincre. Puis ma tête s'est enflammée et tout a éclaté, comme si le feu avait traversé mon crâne par les fontanelles et explosé. Mon être s'anéantissait et s'épandait, éclairant la nuit de mes particules éclatées en milliers d'étoiles incandescentes, me procurant une jouissance indescriptible.

Chattie appuie ses lèvres sur les miennes et dit, bouche à bouche :

— La lumière, la vie, l'amour, je ne connaissais pas.

Puis elle s'assoit sur le lit et rallume la chandelle en disant :

— Mon mari ne me touchait plus, sous prétexte de me protéger.

Le vert de ses yeux est d'une teinte qui me ramène aux traits qui irisent le cratère blanc du tableau de Kagong, un vert d'éveil, le vert de Vishnou, porteur du monde. Assise en position d'un lotus épanoui, Chattie prend ma main et l'appuie sur son pubis de façon que je puisse titiller le bouton qui éclôt à la surface de ses pétales. Elle m'enveloppe chaudement de ses deux mains.

— Ta fougue m'a libérée d'une énergie que je cherche depuis des années, dit-elle, un équilibre entre l'esprit et l'animal. Dans la tempête, tu m'as provoquée, tu as attisé ma soif de vivre, mais ça restait un désir physique. Les yeux de l'extracteur de diamants m'ont menée jusqu'à toi, j'en suis sûre. L'esprit m'a guidée.

Chattie se tait. L'éclat de ses yeux verts s'assombrit. Elle respire à fond et écarte mes mains en me suppliant d'arrêter mes caresses. Bien qu'elle le désire, elle ne peut se permettre d'éveiller une seconde fois ses eaux depuis trop longtemps dormantes. Même si au dénouement elle a eu la sensation d'accoucher d'elle-même et de libérer son esprit, elle a besoin d'un répit.

Elle se blottit dans mes bras. Une chaleur couvante émane de tout son être.

D'une voix raffermie, elle me murmure :

— Jacinthe a exécuté pour moi la danse de Sita, celle de l'eau à travers les flammes. La vie est mystérieuse ! Comme moi, elle est rousse. Je m'identifiais à elle. Ses mouvements m'enveloppaient de bien-être. J'avais l'impression de redécouvrir ma propre jeunesse. Elle dansait et je me transformais en une femme désirée, charnelle, mythique. Jacinthe m'a aussi raconté ta rencontre avec celle qui danse Sita, et comment celle-ci la lui a narrée. Ce faisant, elle a attisé mon désir de te voir. Jacinthe s'est endormie, mais moi j'avais le diable au corps. J'ai essayé de me maîtriser parce que j'avais mal, mais je n'ai pu résister plus longtemps aux démons de la chair.

Chattie, telle une loutre, m'enserre de ses jambes, descend le long de mon corps et appuie sa tête sur mon ventre.

— Ne bouge pas, dit-elle, laisse-toi faire. J'ai envie d'apprivoiser le dragon de feu qui m'a visitée.

Elle me caresse d'effleurements et, d'une voix chaude, vivifie le dragon caché :

— Quand Jacinthe m'a avoué sa panique parce qu'elle croyait être enceinte, je lui ai dit : « Si l'être qui germe dans ton ventre doit naître, il va naître, c'est tout, et il sera ta lumière. Vivre pendant neuf mois avec un enfant qui grandit dans sa chair est une découverte extraordinaire. Si tu n'es pas prête, toi seule le sais, alors il vaut mieux te faire avorter. L'enfant serait malheureux. » J'ai ajouté : « J'ai un fils de vingt-quatre ans, un musicien. Pendant les années de noirceur que je viens de traverser, il a été un phare. Je lui ai écrit une lettre dans laquelle je lui apprends que je voyage désormais seule. Il déteste son père. Il le croit responsable de ce qui m'arrive. » Jacinthe a de la chance. Elle est aimée de son père et de sa mère, dont elle m'a parlé.

Chattie prend une pause. Sa bouche enrobe mon *linga* raffermi, m'insufflant une énergie émanant de racines profondes. Une colonne de feu s'érige, qu'elle couvre d'une main ferme, pendant qu'elle poursuit d'un murmure, comme si elle lui parlait :

— Quand on a découvert mon cancer à la gorge, j'étais désespérée. Depuis environ deux ans, inconsciemment, j'avais cessé de parler. Je n'en avais plus envie. Je n'initiais aucun dialogue. Je répondais brièvement par oui ou par non. Je me taisais, totalement désintéressée. C'était dans ma tête, mes neurones étaient affectés. Le mal a eu tout le temps pour s'installer dans ma gorge. Cette prise de conscience m'a aidée à guérir, peut-être même davantage que les traitements chimiques. Je croyais que tout cela appartenait au passé. Je recommençais à vivre, lentement, mais sans beaucoup d'espoir, entourée que j'étais d'un milieu anglo-saxon bourgeois et d'un mari diamantaire presque toujours absent. D'une façon sournoise, des amis m'ont appris qu'il se payait de jeunes prostituées à Bangkok et à Bali, ce dont je me doutais. J'avais de plus en plus mal là, dans mon ventre, dans mon sexe. Cette partie importante de mon corps s'ankylosait. Le mal s'était déplacé. Le cancer a eu toute latitude pour s'y développer et se propager. Un esprit de vengeance s'est alors emparé de moi. J'ai joué de ruse pour qu'il me paie ce voyage en Asie. Il a finalement accepté parce que je n'en ai plus pour longtemps à vivre. L'esprit de vengeance m'a quittée définitivement dès que, sous terre, ces yeux au regard de diamant brut ont su percer ma carapace et me révéler une meurtrissure profonde à l'âme. Je n'ai plus eu alors qu'une envie, déguerpir, dévêtir mon esprit encombré de valeurs superficielles.

Alors qu'une de mes mains veut prolonger mes caresses le long de sa colonne vertébrale, d'un mouvement doux de prévenance, Chattie redirige ma main dans sa chevelure de crainte de ce qui pourrait s'ensuivre. Du bout de mes doigts, j'explore coteaux et vallons de son crâne, une perception tactile charnelle me procurant la sensation d'entrer dans son intimité la plus secrète. À la lueur de la chandelle, le roux de ses cheveux est ébouriffé de lumière. J'ai l'impression de tâter son esprit sensible du bout de mes doigts, pendant que de sa bouche l'effet d'une corolle aux multiples pétales fait perler des gouttelettes enflammées. Sensibilisé à l'extrême, je ressens une fragilité d'être qui se livre à un combat éperdu entre un passé révolu et un présent qui cherche désespérément à naître. De hautes vibrations me parviennent, sa force vitale me glisse des mains, pendant que je lutte pour ne pas succomber à l'éjaculation, comme si j'essayais de retenir un poulpe aux tentacules gluants. Cette pieuvre qui me glisse des mains aboutit à des visions d'horreur. Ses yeux crevés coulent de ses orbites en une eau noirâtre ; sa tête se décharne, des lambeaux de peau me collent aux doigts ; des fils d'araignée s'arrachent de sa toile crânienne. Une tête de mort m'apparaît, un crâne nu ! Au même moment, j'éjacule en un orgasme qui me donne mal aux tripes ; je suis dans son ventre à elle ; mes entrailles ne sont plus que sable movible habité de crabes. Je voudrais hurler mais seul un gémissement sourd, hoqueté, sort de ma gorge.

Ce mal d'enfer dont souffre Chattie émane d'une réalité souterraine que j'aurais préféré ne pas sonder.

Rien à ajouter. Les yeux de Chattie ont une luminosité de bleu sombre, semblable aux eaux noires du dernier des cratères du Kilimutu, un œil luisant de nuit, clairvoyant. Elle lèche mes larmes et, d'une voix profonde, articule :

— J'ai voulu maîtriser le dragon, mais il a été plus fort que moi. Il t'a plongé dans les abîmes du mal. Je le sais.

Ses yeux de nuit se remplissent d'eau. Elle se blottit contre mon épaule. Mes bras et mes mains sont ceux d'un géant qui ne voudrait la couvrir que de tendresse.

Chattie chuchote à mon oreille :

— Guillaume, tu m'as aidée à éveiller mon esprit, mais je crois profondément que ce champ de vie partagé provient de la proximité de ma mort annoncée.

— Dans le *Ramayana*, Rama, Lakshmana et Sita sont en attente d'Agastya, le grand sage de la forêt. Pour les faire patienter, Rama leur raconte un exploit d'Agastya : « Deux frères démons prenaient plaisir à s'emparer de l'âme et du corps des voyageurs fatigués de leur périple en forêt. Ils invitaient le voyageur à manger avec eux. Un des frères se cachait dans le bélier qu'on était en train de manger. Au moment propice, l'un criait à l'autre de sortir. Fonçant avec la force d'un bélier, l'autre sortait du corps du voyageur, ce qui tuait ce dernier instantanément. Les deux frères se régalaient alors de son sang et de sa chair. Un jour, Agastya se soumet de bonne grâce à l'invitation des frères démons. Au moment où l'un crie à l'autre de sortir des entrailles d'Agastya, rien ne se produit. Agastya continue à se pourlécher, à saliver ce supposé dragon dévoreur : « J'ai digéré instantanément ton frère, lui dit-il. Je l'ai envoyé à un endroit dont il ne pourra plus jamais revenir. » Furieux, les griffes du démon orphelin s'allongent alors démesurément. Il saute sur Agastya pour l'égorger. Avec la seule force de son regard, Agastya le pétrifie sur place et le brûle d'un feu incandescent. À ce moment précis du récit de Rama, Agastya leur apparaît, comme par magie, réjoui d'avoir entendu un de ses exploits. Après leur avoir fait passer de multiples épreuves, Agastya, en passant près d'un arbrisseau semblable à l'indigotier, cueille l'une de ses fleurs et

se délecte de ses pétales : « C'est merveilleux ! dit-il aussitôt. La vie est pleine de découvertes ! Je vivrais dix mille
ans et je découvrirais encore et toujours ! Cette fleur est
unique ! Deux ou trois pétales suffisent pour satisfaire un
appétit moyen ! » Sita y goûte et s'écrie : « C'est délicieux ! » Rama et Lakshmana ont la même réaction.
Agastya leur demande alors : « Quel nom donneriez-vous
à cette fleur ? » Pas un ne trouve réponse. « Si j'étais Sita,
dit Agastya, j'appellerais cette fleur Rama. Si j'étais Rama,
je l'appellerais Lakshmana. Si j'étais Lakshmana... » Et
Lakshmana de s'écrier : « Agastya. » « Non, rétorque
Agastya, je nomme cette fleur Sita. Sita veut dire sillon
creusé par l'homme dans la terre. Sita, née de la Terre,
anime les actions de l'homme. La femme enfante, elle est
porteuse de l'Univers. « Qu'est-ce qui pour chacun de
nous est inévitable ? » poursuit Agastya. « Le bonheur ! »
répondent-ils en un accord qui les surprend. « Oui, de leur
répliquer un Agastya épanoui, dans cette vie ou dans une
autre. C'est notre quête à tous. L'Univers est un grand
terrain de jeu. N'ayons pas peur de nous amuser ! Ainsi,
nous aurons toujours une totale prévenance envers
l'autre. » Et Agastya, avant de disparaître, leur pose une
ultime question : « Quelle est la grande merveille de ce
monde ? » Tous les trois réfléchissent longuement, mais
n'arrivent pas à trouver la réponse. « Chaque jour la mort
frappe autour de nous, leur murmure Agastya, et nous
vivons comme des vivants immortels. Voilà la grande
merveille de ce monde. »

Je me tais. Après un long silence, Chattie me dit :

— C'est une belle histoire, mais qu'en est-il véritablement ? Peu importe. Il faut se raconter des histoires.
La vie de chacun est fabriquée autant de l'imaginaire que
du réel.

— Dès qu'Agastya est disparu, lui dis-je aussitôt,
Rama demande à Sita : « Quel est l'animal le plus rusé ? »
Pour toi, Chattie, quel est le plus rusé des animaux ?

— J'aurais tendance à répondre : l'homme.

— Sita répond : « Celui que l'homme n'a pas réussi à connaître. »

— C'est merveilleux ! Tu t'es enfoncé dans les abîmes du mal qui me ronge et, maintenant, tu t'en dégages grâce à une référence mythologique ! En fait, tu as une âme de gitan ! Tu aimes voyager, jouer ta vie sur la corde raide, râcler le fond des océans, dans des eaux où personne n'ose même voguer en surface ! Je n'ai jamais rencontré quelqu'un comme toi ! J'aime !

— Tu es quelque peu sorcière, lui dis-je, en attrapant sa chevelure à pleines mains, ramenant ses lèvres contre les miennes.

Je puise à sa vie animale, salivante, essentielle, afin de lutter contre un état d'esprit qui me tire vers le néant. Son ventre se colle au mien et me transmet une chaleur de sang, une lumière bleue fécondante provenant de sa matrice, à mille lieues des ténèbres.

Chattie, usant de force, s'écarte de mon étreinte :

— Guillaume, ton avidité est inépuisable. Je viens de comprendre les craintes de ta fille ! Tu défies la mort, tu te bats au grand jour contre tout ce qui t'apparaît décadence, fin absolue ! Tu ne veux que vie trépidante autour de toi ! Tu as du mal à accepter le calme après la tempête !

Son intervention me gèle. Utilisant un cliché, je dis d'abord :

— Dieu seul sait qui je suis et qui nous sommes tous, et le Diable s'en doute.

Puis, une autre parole d'Agastya me revient en mémoire :

— Pourquoi les hommes se révoltent-ils ?

— Pour changer l'ordre des choses. Pour faire évoluer l'humanité.

— Rama, lui, répond : « Pour trouver... » Et Agastya enchaîne : « Pour trouver la beauté, soit dans la vie soit dans la mort.» Quand le dragon de la laideur apparaît, je le perçois aussitôt; la laideur sous toutes ses formes me révolte, jusqu'à me donner l'envie de tuer! Mais le dragon à l'intérieur de moi est plus difficile à détecter. Il réapparaît constamment. Agastya, dans sa clairvoyance, le fait disparaître là d'où il ne pourra jamais revenir, une défécation libératrice. J'aimerais avoir cette force. Mon ultime combat sur cette Terre est peut-être de vaincre ce dragon en moi et autour de moi. J'aime la beauté et je te trouve belle!

Cette dernière phrase teinte l'œil de Chattie d'un vert végétal entouré du mauve rosé de la fatigue.

Elle souffle la chandelle et s'étend de tout son long à me toucher de partout.

— Dormons, dit-elle.

Apaisé, le dragon de la nuit nous accueille dans son antre.

Soudés à Chattie par tout ce qui s'est accompli depuis deux jours, je me laisse couler dans un sommeil empreint de sensualité, de sensibilité. En cet instant délicieux, cette femme représente l'Écosse qui célèbre en des libations sa libération d'une Angleterre puritaine.

Je nage dans une eau pure translucide d'un froid polaire qui m'énergise. J'ai vingt ans. Mes muscles obéissent au moindre effort de volonté. Des pointes d'icebergs surgissant de tous côtés, extasient mon esprit, le vivifient. J'essaie de monter sur l'un d'eux. Mes mains glissent sur le blanc immaculé d'une neige poudreuse, friable, inabordable. Dans ce lieu où personne ne vit, je vois apparaître une femme nue qui se débat dans les eaux glacées. Elle essaie en vain d'aborder les parois neigeuses de l'iceberg. Frénétiquement, de toute ma forte jeunesse, je nage jusqu'à elle. D'un seul bras, je la soulève aisément hors de l'eau et la lance sur l'iceberg. Elle atterrit et empoigne aussitôt de la neige de ses deux mains, avec laquelle elle réchauffe son corps de frottements vigoureux. Une poudrerie soudaine l'entoure et la fait disparaître à mes yeux. Je ne vois plus que neige tempétueuse. D'un autre toubillon, tout près, un ours polaire se présente, tranquille, en quête de viande fraîche. Je prends panique et m'ébats à gicler l'eau pour le faire fuir. Sans égard pour ma gestuelle ridicule, il continue sa marche lente et implacable. Je gueule et me débats comme un damné, essayant d'émerger des eaux glaciales mais, rien à faire, le destin, le darhma, *doit suivre son cours. Au moment où, de sa patte meurtrière, l'ours va abattre la femme, une tempête de neige avec vents violents se déchaîne. D'un crawl désespéré, luttant contre les vents déchaînés, je m'approche de l'iceberg. La femme me réapparaît, s'offrant, m'attirant, m'appelant. Je réussis enfin à aborder et l'ours polaire disparaît, se fondant magiquement au blanc de la neige. Nos deux corps nus s'allient et se réchauffent. La neige noircit. Celle avec laquelle nous nous frottons rougit dans nos mains. Le rouge est de feu et de sang, un rouge écarlate qui, tel un grand manteau, s'épand dans toutes les directions, nous électrisant. Le rouge feu recouvre le pôle et cuit en crépitements le noir de la neige, nous transperçant de part en part. Tout n'est plus que chaleur torride. L'air que nous respirons est suffocant. Nous sommes subitement transbahutés dans une arène chauffée à blanc par un soleil brûlant. Des centaines de spectateurs hurlent leurs encouragements ! Nous sommes aveuglés par le sable blanc qu'un vent chaud souffle en tout sens. «*Viva el toro de lidia* !» crie une voix surmontant la tourmente. Surgit un dragon qui éjecte des flammes de ses naseaux. Les hurlements de la foule augmentent. Le dragon fonce sur nous. Nous sommes soulevés de terre par la chaleur des flammes. Je retombe brutalement en attrapant ce que je crois être les cornes du dragon ; ce sont de grandes oreilles huileuses qui me glissent des mains. Je tombe face contre terre, le nez dans le sable. Les flammes exhalées pénètrent* *mes orifices. Tel un baume délectable, une musique de gamelan parvient à mon oreille et calme mes brûlures et les hurlements de la foule. Une femme danse au son du gamelan. Ses mouvements de pieds, de tête et de mains nous obnubilent au point que nous ne voyons plus qu'elle est nue. Les spectateurs s'évanouissent dans l'air. Les flammes du dragon s'éteignent; il rentre tranquille dans son pacage. Je me remets sur pied, revigoré. La femme, telle une néréide, m'enveloppe d'une eau cristalline qui me pénètre par tous les pores. « Nous ne sommes plus que deux êtres sur Terre, me souffle-t-elle à l'oreille, nous devons obéir à notre* darhma, *recommencer, recréer l'humanité dans l'amour.* »

Je me réveille de ce rêve étrange et constate que Chattie n'est plus à mes côtés. À quel moment s'est-elle absentée ?

Mon esprit chavire entre deux présences, Tinila et Chattie. L'une cherche à s'incarner dans l'autre.

Je me sens comme un enfant avide d'expérimentations ! Le rêve a transformé en une passion exclusive les tourments de mon dragon intérieur. Et ma fille qui serait enceinte ! Quel merveilleux événement !

Chapitre neuf

Certains perçoivent l'âme suprême
à travers la méditation,
d'autres en cultivant la connaissance,
d'autres encore par l'action
non intéressée.

BHAGAVAD-GITA

DEPUIS QUE NOUS SOMMES MONTÉS À BORD du car qui nous mène aux abords du Kilimutu, je suis envahi par une folie douce. Merah, la femme assise près de moi, est balinaise. Un de ses fils, un étudiant, a été tué par les militaires au cours d'une manif à Djakarta. Elle a beaucoup pleuré, m'avoue-t-elle, tout sourire. Elle remercie les dieux Brahma, Shiva et Vishnou de lui donner la possibilité de se rendre au Kilimutu afin d'entrer en contact avec l'esprit de son fils. Les habitants de son village se sont cotisés pour lui payer ce voyage. Tout comme Sukarno qui a eu là la révélation de libérer son pays de l'emprise coloniale, elle espère y découvrir une force pour aider son peuple à se débarrasser définitivement des suppôts du dictateur Suharto, toujours en place, les premiers responsables de la mort de son fils de vingt-deux ans. Merah prend à peine le temps de respirer. Sa volubilité recouvre une peine profonde. Je ne saisis pas tout ce qu'elle raconte, mais elle réussit à se faire comprendre, utilisant quelques mots de français et d'anglais. Le langage entre les êtres n'est pas que celui des mots. Mes réactions, parfois mimées, déclenchent tout autour des éclats de rire.

L'hindouisme des Balinais n'est pas celui de l'Inde. Il est doux et joyeux, dénué de tout fanatisme. Leurs masques de démons ont un aspect théâtral délirant, rempli d'humour.

Quand je demande à Merah si la vache que l'on vénère en Inde est aussi pour elle un animal sacré, j'obtiens comme réponse un rire encore plus éclatant que les précédents. En écho, Chattie et Jacinthe, assises côte à côte à une dizaine de rangées, s'esclaffent elles aussi. J'aimerais entendre ce qu'elles se racontent. Si j'avais voyagé seul, me dis-je, Chattie serait à mes côtés. En outre, si ma fille ne m'avait pas accompagné, je n'aurais jamais eu l'occasion d'une rencontre aussi intime avec Chattie. Pendant que je me pose ces questions sur la destinée de chacun, Merah abat sans aucun scrupule la vache sacrée de l'Inde. Elle se met à meugler, prenant une attitude de vache passive, et tous de rigoler. Ses vagissements et les rires explosifs des passagers transforment mes crampes de crabe au ventre, toujours présentes après ma nuit avec Chattie, en une sève inépuisée de joie enfantine.

Je sors alors de mon sac à dos un masque de Rama :

— Ce masque, dis-je à Merah, a été fabriqué à Ubud, par M. Ambara, un maître-artisan qui a deux cents jeunes employés à son service.

Aussitôt, d'un geste empreint de délicatesse, Merah appuie ses doigts sur mes lèvres pour me faire taire. La gravité s'empare des traits de son visage. Cette femme qui m'apparaissait être dans la quarantaine vient de vieillir de dix ans. S'aidant d'une gestuelle appuyée pour bien me faire comprendre ce qu'elle dit, elle articule lentement :

— Cet homme, M. Ambara, est un exploiteur. Mon
fils a travaillé pour lui. Il offre aux jeunes des salaires
ridicules. Après deux années à se faire exploiter, mon fils
a préféré partir à Djakarta pour y étudier. S'il n'était pas
allé dans cette ville maudite, il serait encore vivant et je
n'aurais pas fait ce voyage.

La gorge serrée, les yeux pleins d'eau, elle ne dit plus
mot. Tous les yeux autour me fixent d'un regard assassin. Pourquoi ai-je sorti ce masque? Pouvais-je savoir?
Bali est peuplé de plus de deux millions d'habitants...
Comment réparer cette bourde? Surmontant mon
malaise, je dis, m'empêtrant dans mon discours, cherchant les mots dans mon lexique :

— Ces jeunes, le jour de ma visite de l'atelier, étaient
très habiles à manier les marteaux et les ciseaux de bois.
Ils travaillaient à ouvrager les portails d'un temple à
Brahma. J'ai été fasciné par leur habileté. M. Ambara les
encourageait dans leurs travaux. Je n'ai jamais eu l'impression qu'il les exploitait. Lui-même a mis trois
semaines à confectionner ce masque de Rama de ses
propres mains. Je l'ai vu à l'œuvre.

Je me tais. Un silence lourd suit. Les rires de Jacinthe
et de Chattie semblent ponctuer ma maladresse.

Une des passagères, une Américaine, constatant mon
malaise, s'offre pour traduire mes propos :

— Ne vous inquiétez pas! L'indonésien est une
langue assez simple. Tous les verbes se conjuguent à
l'infinitif.

Elle est artiste peintre et vit à Ubud depuis deux ans.
Ça lui a pris six mois pour maîtriser l'indonésien et le
balinais, deux langues différentes même si elles comportent certaines similitudes. Elle était venue à Bali en
touriste, mais elle a vite décidé de ne plus quitter ce
monde fabuleux. D'emblée, elle me dit signer ses
tableaux « Mag » et m'avise qu'elle aime qu'on l'appelle
ainsi, peu importe son nom. L'immédiate familiarité de

cette Américaine est un choc. Je suis renversé par le contraste entre son comportement et celui des Indonésiens. Même Chattie, l'Écossaise, n'a pas eu cet effet sur moi. Est-ce parce que Chattie est habitée par le grand faucheur ? Pour les Indonésiens, la mort impitoyable est aussi naissance à une autre vie. Ils l'apprivoisent quotidiennement. L'« Œil du jour » se ferme sur une vie pour s'ouvrir sur une autre. Nous, Occidentaux, fuyons la mort, l'ignorons. Nous nous coupons d'une réalité spirituelle cyclique qui ne peut qu'inspirer une vie présente plus intense. Nous nous attachons à l'illusion de l'avoir. Curieusement, l'esprit de Chattie s'éveille à la vie alors qu'elle apprend que son corps est voué à une mort prochaine !

Avec sa voix un peu nasillarde d'Américaine, Mag me sort brutalement de ma réflexion. Elle se rend au Kilimutu, me dit-elle, afin de connaître ce que les trois cratères ont pu révéler à Sukarno. Elle veut constater *de visu*. Elle rêve d'une toile abstraite, d'une explosion de couleurs. Je lui montre aussitôt la toile de Kagong. Sa réaction confirme ma réflexion sur le *matter of fact* américain :

— Je cherche autre chose, dit-elle. Ceci est trop symbolique, trop figuratif. Je veux entrechoquer les couleurs, une image libératrice, un effet immédiat. Toute expression, même abstraite, doit provenir du vécu, du vu. C'est pourquoi je fais ce voyage. Sinon, on est face à du désincarné, du factisme, j'irais même jusqu'à dire du snobisme. Il y en a plein aux États-Unis et je ne suis pas intéressée par le figuratif des Indonésiens.

Bousculé par cette intervention, je range avec précaution la toile de Kagong dans mon sac. J'aime cette toile. Elle est chargée d'un univers émotif qui m'a saisi dès que je l'ai vue. Je me fous du modernisme des peintres américains, quels qu'ils soient. Bien que j'aie toujours été sensible à l'univers pictural d'un Borduas, d'un Riopelle ou d'une Marcelle Ferron de mon pays, je suis blessé par la réaction de Mag, moi qui me suis évertué à plonger dans le rouge des passions, le noir bleuté de la mort et le blanc verdi d'espoir de Kagong. Je n'ai plus envie de discuter peinture ! Je me tourne vers Merah, qui est restée silencieuse. Son fils disparu trop tôt est d'une réalité qu'aucune représentation picturale ne pourrait traduire.

J'ai une envie subite d'adhérer au monde de Merah, à sa peine enfouie, que je veux couvrir moi aussi d'un rire libérateur. Je dis à Merah :

— Quand M. Ambara m'a remis le masque, un brahmane hindou l'accompagnait. Ce brahmane était là pour attribuer au masque un caractère sacré.

Tenant le masque d'une main, j'évoque alors le brahmane, je joue son rôle. Je mime les volutes de l'encens de bois de sental, perception de conscience. Je hume l'encens, je m'étourdis. Je lui fais pénétrer les pores du bois tendre. Les passagers s'amusent. La magie opère. Profitant des bringueballements du car qui frôle les précipices, je m'installe dans l'allée, jambes écartées, reproduisant l'état de transe du brahmane, qui m'apparaissait sous l'effet de quelque substance hallucinogène. Peut-être était-il simplement inspiré, possédé par l'esprit de Vishnou ? Les passagers rigolent. Ils ne sont pas dupes. Ils savent très bien que certains brahmanes sont souvent sous l'effet de la drogue.

Les yeux de Merah sont redevenus rieurs. Elle est sous le charme. Tous sont pris au jeu. J'épouse de mon corps les mouvements d'un serpent symbolisant la libido. J'effleure sensuellement les passagers. J'utilise mon index sortant de la bouche du masque, tel un dard qui les inocule, accompagnant mon toucher d'un sifflement. Je m'amuse comme un fou, et eux aussi. Soudainement, j'arrête mes agissements. Immobile dans l'allée, sachant que tous m'observent, attendant la suite, je multiplie mes mouvements de bras, évoquant Shiva, le dieu qui sème la vie sur Terre. Tous le reconnaissent et rigolent de plus belle. J'utilise alors pêle-mêle des formules sanskrites, ou ce que je crois être du sanskrit, la mère du langage, que le brahmane a utilisées. Sachant très bien que personne ne connaît le sanskrit, j'ose improviser des sons qui y ressemblent. Tous sont subjugués. Merah est fascinée, ce qui me ravit. Les sons que j'utilise semblent avoir un effet de *mantra* qui les pénètre jusqu'à l'âme, tout comme dans mes années d'enfance la messe en latin. Cette langue mystérieuse m'enchantait, me transportait vers des contrées à découvrir. Le petit Guillaume, de sa voix de soprano, chantait en solo à l'église, propulsé dans un ailleurs qui le comblait. L'engouement d'alors se transposa dans l'étude du latin et du grec. J'avais l'impression de comprendre d'où je provenais, le pourquoi de ma vie. Le « Qui suis-je ? » naissait. L'innocence disparaissait. Le mystère de l'Univers restait toujours à éclaircir, à explorer. Depuis que les démiurges de la religion catholique ont renoncé à l'utilisation de la langue latine comme support de leurs rites, leurs églises se sont vidées, le mystère s'est évaporé, le grotesque s'est étalé. Le semblant de vie spirituelle s'est éteint. « Il faudrait peut-être droguer leurs officiants au bétel », me dis-je.

Mag traduit mes propos en un murmure. Chattie et Jacinthe se sont levées de leurs sièges pour suivre mon manège. Le délire me happe. J'utilise alors des formules retenues de ma lecture du *Ramayana*, imitant toujours le brahmane inspiré.

Surpris par la voix envoûtée qui sort de moi, mélangeant l'indonésien, le sanskrit, l'anglais, le français, jouant de mes dons d'acteur pour les posséder, je proclame :

— Désormais, Vishnou va vous surprendre tous et chacun, autant dans le malheur que dans le bonheur. Il

va vous munir d'une force inspirée de l'esprit de feu de
Brahma, fécondé sur Terre par Shiva. Pakriti, matrice de
l'Univers, vous pénétrera jusqu'à l'âme. Sharîra, qui permet la régénération, bouleversera vos vies. Les hommes
ici présents, possédés des dieux, auront une envie folle de
déposer leur germe, noyau d'immortalité, dans Parvâtî,
qui représente le chemin à parcourir afin d'atteindre le
retour à la matrice, au giron duquel nous connaissons
toutes renaissances. L'embryon, Agni, de la nature du
feu, transfigurera chacune des femmes. Vous volerez vers
d'autres cieux avant même d'accéder à une autre vie ! La
yoni de la femme, pénétrée par le *linga* de l'homme, vous
fera connaître l'extase, la *kundalini*, l'état de pure conscience, de lumière. Les sept voyelles du sanskrit sont les
sept matrices des sept mères du langage !

Je me sens vidé d'énergie. Je me suis laissé prendre
au jeu, comme si des forces occultes s'étaient emparées
de mon être. On ne peut jouer ainsi entre vie et mort
sans en payer le prix.

Je me rassois. Délicatement, je glisse le masque entre
les mains de Merah, avec l'impression très nette d'avoir
poussé mon jeu trop loin.

Le masque devient alors tout autre. Merah, artisane,
le sculpte de ses doigts fins, l'assouplit d'un toucher
sensible. Elle l'ajuste à son visage et se lève. Un corps
androgyne apparaît, surmonté du blanc ivoire qui
resplendit de relief. Chaque trait est redessiné. Merah
touche du bout des doigts la couronne de cuir dorée
trouée de rouge sang de bœuf. Le vermeil des lèvres et
de la naissance des narines se sensibilise de la pulpe de
ses doigts. Son corps invente une danse subtile. J'ai
l'impression de respirer les odeurs des femmes et des
hommes de Bali. Un univers floral enivrant l'entoure.
De ses ongles, elle resouligne la ligne indigo des yeux et
des sourcils. Le goûter, le toucher, l'odorat, l'ouïe, la
vue sont éveillés avec acuité. Cette femme, une paysanne

n'ayant aucune formation d'actrice ou de danseuse, me donne une leçon. Le masque respire, il semble habité par une âme errante. Merah bouge à peine, établissant un silence trouble accompagné par le seul bruit du moteur du car; même ce bruit irrégulier paraît participer à son rituel inventé. Et elle se met à tourner sur elle-même, tel un derviche tourneur en parfait équilibre. La diablesse m'étourdit et finit par s'affaler à mes côtés en un dernier tourbillon.

Avec précaution, elle enlève le masque, comme si elle l'arrachait de sa peau. Son visage est blanchi, épousant presque la teinte du masque, qu'elle appuie tendrement sur ses genoux. Elle tire alors de son sac un tissu transparent d'un mauve soyeux, avec lequel elle l'enrobe comme si elle voulait en imprimer tous les traits sur le tissu. « Un saint suaire », me dis-je. Dès lors, je comprends tout. L'ailleurs s'identifie. Son fils a ressurgi sous les traits du masque. Elle l'a ramené sur Terre. Son corps dansait, possédé par l'âme errante. Son corps était d'essence androgyne. Mère et fils, l'amour a tout recréé.

Merah enlève le voile, le presse sur son sein et s'apprête à remettre le masque dans mon sac à dos. D'un geste tendre, j'appuie ma main sur la sienne et redirige son mouvement vers son propre sac, où je l'aide à insérer le masque de Rama, qui, dit-on, est le maître de la vérité existante en tous les êtres. Sans qu'une seule parole soit prononcée, nous nous sommes tout dit. L'image de son fils est maintenant en sa possession. Le visage de Merah n'a plus d'âge, tel celui éploré de Kausalia, la mère de Rama apprenant qu'elle doit s'astreindre à laisser partir son fils vers des forêts inconnues remplies de démons qu'il doit vaincre et qu'elle ne le reverra peut-être plus.

Pendant l'heure qui suit, un silence s'établit en nous et tout autour. L'état méditatif va de soi.

Soudain, Jacinthe se présente dans l'allée, le visage attristé. Elle s'empare aussitôt de ma main et l'applique sur son ventre. Des larmes dans la voix, elle dit :

— Chattie t'a révélé mon secret. Je lui en veux ! Touches-y ! C'est mon ventre. Ça m'appartient ! Je voulais te le cacher jusqu'à notre retour à Montréal. Ce qui se passe dans mon ventre, ça m'appartient. C'est mon ventre à moi. Même toi, mon père, tu n'y as pas droit.

Jacinthe ne cessait de presser ma main sur son ventre, d'un mouvement circulaire, comme pour apaiser les affres de la peur.

Merah a tout compris. D'un geste délicat, elle touche la main de ma fille et suit son mouvement.

— *Salam alaïkum !* murmure-t-elle à Jacinthe.

Un effet immédiat se produit. Jacinthe se retire en disant :

— Si j'ai un enfant dans mon ventre, il va naître. C'est tout !

Je suis tétanisé. Dans le ventre de l'homme ne peuvent naître qu'angoisse, espoir et guerre, alors que la femme enfante. À la naissance de Jacinthe, pendant trente-six heures, je suis resté debout près de sa mère, essayant vainement de l'accompagner de respirations de femme accoucheuse parce que j'avais participé avec elle à des cours prénataux. De ma vie, je ne me suis senti aussi inutile, autant ridicule. Après cet événement unique, mystérieux, extraordinaire, que tous sur cette Terre nous pouvons vivre, je me suis dit : « On me suggère de jouer un rôle qui ne m'appartient pas. Ne mélangeons pas les genres ! La mère de Jacinthe souffre le martyre et je n'y peux rien. Acceptons notre rôle de témoin amoureux ! Soyons près d'elle, dans une force mâle rassurante, elle ne s'en portera que mieux. C'est elle qui enfante ! »

Cette réflexion me revient en mémoire alors que je ne sais que dire à ma propre fille de ce qui se passe dans son ventre de femme. Ce qui se produit là n'appartient qu'à elle, comme Jacinthe me le rappelle si justement. Une étrangère, Merah, en deuil de son fils, d'une femme à une autre, la rassure d'un simple geste solidaire sur son ventre. Voilà la réalité !

Nous sommes près d'arriver à destination. Chattie s'approche dans l'allée. Elle m'embrasse, sourit à Merah en lui touchant la main, et retourne s'asseoir près de Jacinthe.

Chapitre dix

Que vienne la nuit de Brahma,
et toutes les variétés d'êtres
s'annihilent.

BHAGAVAD-GITA

N OUS SOMMES RÉVEILLÉS à quatre heures du matin car, dit-on, à la lumière de l'aube, le Kilimutu resplendit de tous ses feux. Nous avons couché chez l'habitant, chacun de son côté. J'ai dû me contenter d'un lit de camp en toile ; c'est dire que je ne me sens pas dans la meilleure forme physique. Le temps de prendre un café, nous nous retrouvons, une quinzaine de personnes, dans la boîte arrière d'un camion, à ciel ouvert, recroque-villés. En haute altitude, les nuits sont froides et très humides. Plus nous grimpons, plus le brouillard environnant s'épaissit. La tempête qui nous a frappés en pleine mer a traversé la région la veille. Le guide qui nous accompagne espère, avec appréhension, que nous pourrons nous rendre sans problème jusqu'au Kilimutu. Les routes de terre sont de plus en plus boueuses. Les roues du camion glissent. Ça devient ardu de gravir quelques mètres. Et bang ! ça y est ! les roues arrière sont embourbées. On nous fait descendre pour alléger le poids mais, rien à faire, le camion s'enlise. Nous nous mettons à pousser tous ensemble mais abandonnons vite; la boue qui nous éclabousse nous décourage de poursuivre. Chattie, de blanc vêtue, avec un grand châle écossais recouvrant sa tête et ses épaules, rigole de se voir maculée :

— Moi qui voulais me présenter dans les teintes du premier des cratères, voilà où j'en suis, salie par la terre d'où je proviens.

Jacinthe, énervée, vient à moi. C'est de nouveau la petite fille qui est dans mes bras.

— Ça n'en vaut pas la peine, dit-elle, tremblante. Rentrons à Montréal !

Je l'écarte de moi, la regarde dans les yeux et lui dis :

— Puisque nous en sommes là, rendons-nous au moins jusqu'au Kilimutu. D'accord ?

— D'accord.

Elle n'avait besoin que d'un instant de tendresse pour la ragaillardir.

Pendant ce temps, Mag n'a cessé de gueuler, de tempêter contre le manque d'efficacité des gens de Flores, qui ne savent pas accueillir les touristes comme à Bali.

Merah, en retrait, attend en silence que le temps répare les choses. Une femme près d'elle, enveloppée d'un sari jaune d'Indienne bordé de petits miroirs entourés de fils rouges, garde une fière allure même si son vêtement est souillé ; elle tient précieusement contre elle un étui qui paraît contenir un instrument de musique.

Le chauffeur a sorti un long câble et l'attache d'abord au pare-choc avant du camion, puis l'enroule autour d'un gros arbre à une dizaine de mètres devant. Ramenant le câble vers nous, il nous convie à tirer de toutes nos forces pendant qu'il redémarre le moteur. Nous avons l'air d'une bande de scouts s'évertuant à réussir l'exploit ultime. En vain ! D'un commun accord, nous décidons d'abandonner. Nous repoussons le camion pour qu'il parte à reculons, ce qui est beaucoup plus aisé, et nous effectuons le reste du voyage à pied.

La montée s'avère de plus en plus pénible, l'air se raréfie, nous avons du mal à respirer.

Je jette souvent un coup d'œil sur Merah et l'Indienne, qui marchent côte à côte, sans un mot, le souffle tranquille. Je les envie.

Au bout d'une heure de marche, nous arrivons finalement sur les lieux, qui sont couverts de brouillard. Nous avons nettement l'impression de pourfendre *ghana* — le mot sanskrit pour «nuage» —, qui signifie «embryon primordial», comme si tout devait naître d'une masse informe, volatile. Le brouillard se teinte légèrement des lumières de l'aube, jaune et rouge. Les petits miroirs bordant le sari de l'Indienne semblent tachetés d'or. Ses cheveux et ses sourcils d'un noir épais sont bleutés de reflets sur son visage mat impassible. Je traverse le brouillard d'un pas léger, avec l'impression de marcher sur la peau fragile de la Terre.

Il nous est impossible d'apercevoir la teinte des trois lacs. Les cratères ressemblent à de gigantesques soupières où des substances acides bouent en effervescence. Le mystère les recouvrant est d'une densité mouvante.

Le premier des cratères est recouvert d'une masse blanche, comme si la coloration du brouillard le recouvrant se teintait de sa substance profonde. En rasant ses bords, un silence absolu s'empare de nous. Je me sens soudainement relié au ventre de Jacinthe, qui marche à mes côtés. Une force, une clairvoyance m'atteint, semblant provenir du lac et du silence. J'acquiers aussitôt la certitude que ma fille est bel et bien enceinte. Je vois nettement en son intérieur l'embryon qui se forme. Je me surprends à évoquer Vishnou pour que le bébé puisse accomplir son cycle de neuf mois. Impressionné par cette vision, je préfère me taire, laisser perdurer le silence, prélude à ce qui germe dans le ventre de mon enfant.

Nous traversons ensuite un pont de bois situé entre le lac rouge et le noir. Au milieu de ce pont, je me sens anesthésié, ankylosé. J'essaie de suivre le groupe, mais ne le peux tout simplement plus. Je dis alors à Jacinthe et à Chattie de ne pas m'attendre, que je les rejoindrai. Je tombe assis sur le pont, me retenant aux rampes de corde. Une lourdeur au niveau du ventre m'oblige à ne pas bouger. Je perçois les deux cratères comme deux des ventres de la Terre mère. Je délire. J'essaie de me lever, de sortir de mes élucubrations, mais en reste prisonnier. Je me mets alors en position du lotus. Autant en profiter pour essayer de méditer ! Mon regard est aussitôt attiré vers mon côté droit, où se situe le lac rouge. Découpée, déchirée par la lumière qui perce le brouillard, une femme à trois têtes m'apparaît. Que m'arrive-t-il ? Cette vision fugitive est celle d'Hécate, déesse de la mort évoquée par Shakespeare. Est-ce que je rêve ? Je ferme les yeux, respirant à fond pour reprendre mes esprits afin de chasser cette image. Je réussis tant bien que mal à me recomposer.

J'ouvre les yeux et détourne mon regard du côté du cratère noir, là où le brouillard est beaucoup plus sombre. Déchiquetée par une lumière brillante pourfendant les vapeurs, une autre vision polycéphale survient, les trois têtes d'Indra, déité qui gouverne les trois mondes telle que représentée dans l'iconographie hindoue. D'Hécate à Indra, déités à trois têtes, du lac rouge au noir, je suis voyagé, en équilibre entre mes deux hémisphères, entre deux âges, entre l'Occident et l'Orient, Ouest rouge, Est noir ; passion, méditation ; action, contemplation.

Sans même que j'aie vu leurs eaux, les trois cimes éclatées du ventre de la Terre se fondent dans mon esprit. Trois cycles de vie ! Ma fille porte dans ses entrailles le germe du recommencement, fruit d'un échange amoureux intense né dans le rouge de la passion.

La voie occidentale m'a mené jusqu'à maintenant dans une quête éperdue d'amour inaccessible. La voie orientale semble vouloir m'attirer vers une étape difficile à franchir, un «œil de nuit» bleuté de clairvoyance. J'ai peur de m'y perdre, d'abandonner tout désir, de ne plus avoir à me battre pour franchir l'autre côté du miroir. Rêver ma vie dans le réel, entrer de plein pied dans l'illusion sans avoir à utiliser le jeu pour libérer mon âme? Découvrir l'or, l'ultime, la quadrature du cercle?...

Sourdant de cette méditation, la force qui me retenait assis s'évanouit comme par magie. Je me sens libéré, attiré par une force me projetant vers l'avenir.

Comme un cheval fringant sortant de son écurie au printemps, je cours allégrement vers les autres.

Tous sont rassemblés à un sommet d'où, normalement, on peut avoir une vue d'ensemble des trois cratères. Tous discutent à savoir s'il faut attendre que les rayons du soleil fassent fuir les vapeurs ou s'il ne vaut pas mieux abandonner et revenir.

— Cette journée est exceptionnelle, leur dis-je. La tempête qui a donné naissance au brouillard est unique à ce temps-ci de l'année. Profitons-en! Restons là, on verra bien ce qui va se passer!

Mon intervention a peu d'effet. Plus de la moitié du groupe décide de redescendre et de revenir le lendemain.

Merah et l'Indienne se sont réfugiées deux mètres au-dessus de nous, sur un petit promontoire de bois nous surplombant.

Le guide m'avise que c'est là que Sukarno venait souvent méditer, là qu'il a pris la décision de réunir ces milliers d'îles en un seul pays. Il est persuadé que Sukarno a été inspiré des dieux Brahma, Shiva et Vishnou, symbolisés par les trois lacs.

Je grimpe l'échelle menant au promontoire. L'espace est restreint, de la place pour trois personnes en se serrant. Le plus discrètement possible, je m'agenouille entre les deux femmes.

Nous sommes au-dessus des nuages, comme assis sur le monde, sur *Ghana* à l'infini, masse flottante rougie jusqu'à l'horizon lointain. L'Indienne laisse glisser sur ses épaules le voile recouvrant ses cheveux noirs luisants, puis sort de son étui un sitar. Du bout de ses doigts, elle en touche les cordes. Résonnent alors des sons célestes survolant la luminosité mouvante du soleil levant. L'ouïe, la vue ne sont plus qu'alchimie des sens. Le toucher s'y ajoute : Merah, les yeux clos, telle une aveugle lisant le braille, retrace délicatement le visage de son fils sur le masque blanc ivoire de Rama posé sur son sarong couleur d'eau verte. J'entends la mélodie jamais ourdie sur Terre de l'un de mes rêves, à me faire frémir. Sphynx survolant les nuages empourprés, j'ai l'impression de me délester du rouge des passions. Les énigmes, les mystères se renouvellent. Je ferme les yeux. Je suis sur les rives du Gange. La fumée provenant des braises de centaines de feux de bois et de pipes de haschisch flotte dans l'air et nous enivre. Des milliers de gens, riches, pauvres, désœuvrés, des familles entières, des pères, des grands-pères, des mères, des grands-mères, des poupons portés allégrement à bout de bras se dénudent et plongent dans les eaux sacrées du Gange pour se purifier d'ablutions répétées. Les rythmes de la musique indienne bouleversent mon âme.

La musique se tait. Un long temps se passe avant que je puisse ouvrir les yeux, comme si j'attendais que la vision disparaisse totalement de mon esprit et que les rayons du soleil chauffent suffisamment la terre pour qu'enfin la lumière de l'« Œil du jour » me révèle la teinte des trois lacs.

Lorsque j'ouvre les yeux, s'offre à ma vue un spectacle unique. Haut dans un ciel bleu clair, vole un gigantesque oiseau formé de cumulus ouatés. *Ghana*, en mouvance lente, a absorbé les vapeurs recouvrant la terre et les trois lacs.

Sur les bords du cratère rouge, sont rassemblés les membres du groupe qui sont restés. De longs sillons rouge feu, comme des plaies non cicatrisées, marquent une nappe rosée. Kagong m'avait averti que ces trois lacs changent constamment de couleur en raison des différentes composantes chimiques agitant leurs eaux.

Jacinthe, au milieu du groupe, sa crinière rousse éminente, semble animée d'une jeunesse vivifiante. Plus loin, le cratère blanc resplendit de pureté. Des traits vert soufre le traversent.

Je tourne mon regard vers le lac noir. Ses eaux sont bleutées de profondeur, inquiétantes, attirantes comme un gouffre. Je comprends alors ce qu'a voulu peindre Kagong, mais rien ne vaut le réel. Je suis fasciné par le pigment obnubilant qui s'en dégage, qui m'atteint au cerveau comme s'il pénétrait entre mes sourcils. Une détente immédiate s'épand dans mon corps, envahissant mon système nerveux d'une teinte bleuâtre apaisante, toute pensée bientôt abolie.

Chattie est assise seule sur une grosse roche bordant le cratère. Elle y a étendu son long châle écossais et écrit à toute vitesse sur un cahier de notes. Sa silhouette blanche sur fond noir, sa crinière rousse brillant au soleil, elle m'apparaît comme un personnage sorti d'un conte de fées. Puis, elle insère trois feuilles dans trois enveloppes distinctes, se lève et dépose les enveloppes sur son châle. Elle s'écarte alors de la roche, se tourne vers moi, magnifique, resplendissante sur fond de ciel bleu, et me fait un grand signe de sa main levée, comme un pendule à l'envers marquant le temps. Dos au cratère, elle se donne un élan et déboule la pente, sans un mot, sans un cri. Son corps plonge dans les eaux noires, qui l'engloutissent aussitôt. Un peu de blanc flotte en surface. Irréel! Je reste figé, abruti, abasourdi. Des secondes s'écoulent...

un temps interminable où je n'arrive pas à bouger. Puis je bondis et me précipite au bord du cratère.

J'enlève chaussures, chemise et m'apprête à plonger. Deux bras me ceinturent fortement. C'est le guide.

— C'est inutile, me souffle-t-il à l'oreille, elle est déjà morte et vous subiriez le même sort. Même les os de son squelette seront rongés par les acides du lac.

Me résonne au plexus un battement de cœur incontrôlable, telle une peau de tambour tendue à l'extrême. Une rage descend jusqu'à mon bas-ventre, une force qui invective tous les dieux imaginables qui ont pu permettre une telle horreur. Je lève les yeux pour apercevoir les cumulus tourbillonner en tous sens. *Vâyu*, souffle cosmique, aspire l'âme de la disparue... L'«Œil du jour» brille d'une lumière crue absorbée par le noir des eaux bouillonnantes.

Je tombe assis, prostré, dévasté, sur la roche où Chattie écrivait. Je tiens les trois enveloppes à la main, incapable de faire le moindre geste, d'ouvrir l'enveloppe qui est adressée à Guillaume. La deuxième s'adresse à Jacinthe, et la troisième à Nicolas. Une note informe que c'est son fils, nous priant de la lui poster.

— C'est la deuxième fois que j'assiste à une telle scène, me dit le guide, qui s'est assis près de moi, rempli de compassion. Il y a deux ans, celui qui a plongé dans ces eaux avait quatre-vingts ans. J'ai compris qu'il voulait en finir, mais là, je ne comprends pas.

Le guide ne cesse de parler, vraisemblablement pour m'apaiser. Il croit que Chattie était mon épouse. Je n'essaie aucunement de l'en dissuader tant cette disparition subite m'atteint. Jamais je n'aurais soupçonné que cela puisse me faire aussi mal. Mes larmes seraient de sang si je pleurais. La mort, personnage hideux, lugubre, glauque, réduit tout à l'état de chaos.

Recroquevillé, les yeux rivés à la terre, je suis en état de glèbe. Je songe à cette matière qui façonne l'homme

selon les sciences vishnouïtes, *prakriti*, substance uni-
verselle, matrice qui conçoit tout ce qui est vivant, qui
donne et reprend la vie, et j'ai envie de maudire cette
matière. Je me sens enrobé de glue, tel un moucheron
emprisonné dans la toile d'une araignée.

Des souffles courts parviennent à mon oreille, des
murmures   assourdis.   Les   membres   du   groupe
accourent... Je sens Jacinthe s'approcher tout doucement. Ses bras entourent ma tête, qu'elle appuie sur son
ventre... telle une mère.

Jacinthe a quatre ans. Nous revenons d'un séjour à la
campagne, gorgés de bruits d'insectes qui bruissent dans
l'air léger des champs traversés du ruissellement de cours
d'eau au printemps. Je viens de lui apprendre à pêcher.
Elle ne voulait rien voir du ver de terre que j'accrochais
à l'hameçon. Folle de joie, elle avait attrapé sa première
truite mouchetée, croyant d'abord que son hameçon
était pris au fond tant son effort était grand. À l'air libre,
le poisson frétillait. Je l'ai laissée décrocher seule l'hameçon. Il le fallait, malgré ses cris d'affolement et la répu-
gnance qu'elle démontrait à l'effort consenti. Réunis sur
la berge, nous avons fait frire la truite saumonée. Une
allure de cérémonial déterminait nos gestes. Jamais un
repas ne fut autant apprécié. Jacinthe savourait, fière de
partager avec son papa sa première prise. Elle triom-
phait, l'œil étincelant... Affalé sur le sol de ma chambre,
adossé au lit, je suis dans un état idyllique où la vie se
révèle être simple, coulant de source. Je me sens bête,
heureux. Le chat et le chien me frôlent de contentement. Le téléphone sonne ! C'est une amie, que j'invite
aussitôt à venir manger avec nous et à passer une nuit
d'amour ensemble une fois que Jacinthe sera couchée.
Un long silence suit ma proposition. Je reçois alors un
choc brutal : un être très cher à nous deux s'est suicidé
la veille, pendu au bout d'un fil d'acier qui lui a tranché

la gorge. Je referme l'appareil et éclate en sanglots. Le chat et le chien courent en tous sens, affolés. Jacinthe se présente à la porte de ma chambre. Tous les trois me regardent avec des yeux d'une attendrissante tristesse. Je prie Jacinthe de m'excuser de ce débordement causé par la perte d'un ami qui vient de mourir dans un accident. Jacinthe s'approche alors en douceur, enveloppe ma tête de ses deux petits bras, l'appuie sur son ventre et me dit ce que je lui répétais sans cesse quand elle avait de gros chagrins :

— Pleure, papa, ça fait du bien. La vie est pleine de surprises, des qui nous font rire et des qui nous font pleurer !

Quinze ans plus tard, ma tête appuyée sur le ventre de ma fille, je me sens emprisonné de douceur. J'entends presque les mêmes mots qu'elle énonçait alors, et mes larmes retenues jusque-là coulent librement. En moi, toute révolte s'éteint. La mort me ramène au réel des vivants qui me sont proches, du bébé à naître ! Je n'ai plus envie de jouer, de pratiquer le métier de l'illusion ! La fabulation ne m'intéresse plus !

Jacinthe prend dans mes mains l'enveloppe qui lui est adressée. Elle l'ouvre et tient absolument à ce que nous en prenions connaissance ensemble, tenant la feuille délicatement entre nous deux. Tout autour, la consternation se lit sur des visages immobiles, en attente.

« Belle Jacinthe,

Je m'en vais ! C'est la fin ! Je l'ai choisie ! Un choix délibéré, en toute conscience ! Je n'ai pas peur de la mort. J'ai peur de souffrir. Tu parleras à ton père des souffrances que j'ai dû subir avant de pouvoir éclater de jouissance avec lui. Je ne peux accepter qu'elles me poursuivent encore pendant des mois, peut-être des années. Je me réfugie dans la mort l'esprit tranquille, en toute quiétude. Les dieux vous ont mis tous les deux sur ma route. Tu as dansé pour moi. À travers toi, j'ai revécu ma jeunesse. Toi, tu possèdes la vie, tu en jouis dans tous tes mouvements. Poursuis ta quête, elle est merveilleuse ! Tout se passera bien, tu verras. Belle Jacinthe, Guillaume t'adore. Il sait que tu es enceinte ! Il en est ému au plus haut point, inquiet mais d'un enthousiasme rare. Toi seule en doutes ! Moi, je pars avec la certitude que la vie qui germe dans ton ventre saura bien remplir la place que je laisse vacante ! Plein d'amour t'entoure et entourera ton bébé. *Please*, ne vous attristez surtout pas parce que je quitte ce monde. Je le choisis délibérément... »

Aucune signature ne suit, mais nulle lettre n'a porté une telle griffe.

J'ouvre l'enveloppe qui m'est adressée. Alors que Jacinthe cherche à s'écarter par discrétion, je la retiens. Je tiens à ce qu'elle soit près de moi.

«Guillaume, cher Guillaume,

J'ai choisi de t'écrire à la toute fin. Je vais disparaître de cette planète dans quelques secondes. Une libération ! Tel que je l'ai demandé à mon fils et à ta fille, ne cédez surtout pas au désarroi ! Le mal qui me ronge est fatal. La très faible possibilité d'une guérison a fait pencher la balance du côté du geste que je m'apprête à exécuter. Je n'ai pas l'intention de servir de cobaye aux chirurgiens. Je glisse dans la mort de façon beaucoup moins dramatique que j'ai pu vivre plein d'événements avec un homme qui m'a entraînée dans une spirale morbide. Guillaume très cher, tu as joué un rôle déterminant dans mes dernières heures ! Ta fille va donner naissance ; c'est l'ultime cadeau dont on me gratifie. Sur le bateau, alors que je me laissais couler, tu as eu raison de contrer ma plongée dans des ténèbres. La lumière de notre nuit d'amour est toujours là, et elle sera là une fois mon enveloppe grossière disparue. J'aborde la mort l'esprit libéré, heureuse d'avoir touché avec toi à l'inaccessible. J'ai écrit à mon fils de rassembler ses amis près de la mer, en Écosse, d'y allumer un immense feu de bois qui brûlera toute une nuit, et d'imaginer que mon corps s'y consume. Je lui ai décrit un cérémonial de crémation à Bali et les ai priés, lui et ses amis avec qui j'ai maintes fois célébré, de laisser libre cours à leurs instincts, de boire, de fumer, de rire, de pleurer, de festoyer jusqu'à l'aube et de voir dans l'« Œil du jour » qui réapparaîtra le sourire éclairé de mon esprit voguant entre ciel et Terre. Telle une Jacinthe inspirée dansant dans les flammes, ou une Tinila pénétrée d'amour, j'aime m'imaginer intervenir d'un souffle de lumière dans les eaux entourant l'embryon qui naît dans le ventre de ta fille. Guillaume, nos âmes se connaissent depuis toujours, elles se retrouveront. »

Jacinthe pleure. Elle me sert contre elle très fort. Telle est la signature avec laquelle Chattie aurait aimé conclure sa lettre...

Un passage du *Ramayana* me revient, que je résume à ma fille :
— Jadis, Vishnou parti à la chasse tue une femme qu'il a prise pour un animal. L'anachorète, son mari,

sous la brûlure de cette perte cruelle, maudit Vishnou et lui prophétise qu'un jour viendra où, naissant sur Terre, il sera séparé de l'épouse qu'il aura choisie. Alors il connaîtra la très grande douleur qui est la sienne ! La prophétie de l'anachorète se réalise quand Rama, l'incarnation de Vishnou, doit répudier Sita pour obéir à son peuple. Sita se retire sur les rives du Gange, fleuve de l'au-delà. Rama en souffrira comme si elle était morte. Chattie s'est projetée dans la mort et j'ai mal comme si la légende s'incarnait dans nos vies. L'eau noire est en train de dévorer ses chairs ! Elle disparaît, mais je la sens toujours présente. Sa disparition me rapproche encore plus de toi, Jacinthe. Chattie accompagnera de son souffle la vie que tu portes. La mort nous hante depuis le début de ce voyage. Je croyais me délivrer du manque que je traîne en venant au Kilimutu et c'est ici que Chattie a décidé d'en finir. Nous faisons partie d'un grand tout spirituel. La mort, la vie coexistent, éternel recommencement, loi du destin, *darhma*...

Des sanglots étranglent ma voix. Je n'en peux plus. La disparition de Chattie me bouleverse au point de ne plus trop savoir ce que je dis ! J'appuie ma tête sur le cœur de ma fille, entourant sa taille de mes bras, cherchant à me recomposer... D'un geste maternel, elle m'accueille. La petite fille est disparue. La femme, la mère, me transmet sa force terrienne. Je me vois épandre des fleurs sur les chairs et les os calcifiés de Chattie. J'exécute avec elle sa danse des mains au-dessus de la fosse des morts. Je refais l'amour à une Balinaise masquée. J'émerge d'un marécage. L'embrouillamini dans mon cerveau se dissipe. J'embrasse ma fille devenue femme. Sans qu'une seule parole soit prononcée, nous nous sommes tout dit. La mort ne vaincra pas !

Le guide a ramassé des planches de bois qui traînaient et les a entassées dans un creux de terre bordant le cratère. Il y met le feu. Très vite, le vieux bois séché s'enflamme. Le guide sort alors de son fourreau le *kriss* porté dans sa ceinture au milieu du dos.

— Ce *kriss* est sacré, proclame-t-il. Il provient d'un temple de Bali. On me l'a remis pour protéger l'âme des étrangers qui nous visitent. Un brahmane provenant des Indes, au cours d'un cérémonial, l'a muni de forces occultes. Aujourd'hui, je le sors de son étui, je dénude sa lame pour qu'elle dirige la traversée des eaux de celle qui a décidé d'en finir. La lame aux neuf courbes, ouvragée de signes cabalistiques, et la poignée de bois œuvrée par un initié l'aideront à accomplir ce passage. À Bali, nous brûlons les corps pour que les êtres éprouvés par la mort d'un proche soient reliés à son âme par le feu. L'eau noire de ce lac est de feu. Ici, l'eau et le feu ne font plus qu'un. Ce *kriss*, arme sacrée, servira à brûler ce qui reste de votre amie.

De la pointe de son *kriss*, le guide ramasse le châle de Chattie et le maintient au-dessus des flammes. La laine écossaise brûle en crépitements d'étincelles. Le feu purificateur met un terme à la course du temps. L'acier rougi brûle la laine jusqu'au noir bleuté, teinte du dernier des lacs où Chattie s'est jetée.

Merah se lève et dépose le masque de Rama dans le feu. Le guide a respectueusement remis son *kriss* rougi dans son étui et reculé. Des volutes se dégagent du masque de bois dévoré par le feu, passant du bleu au vert, au rouge, au jaune, écorchant, fissurant, craquelant le masque, une figure noirâtre d'où dégoulinent des larmes épaisses qui sillonnent les parois du nez. J'ai l'impression d'y voir les chairs fragiles de Chattie cuire. Merah, assise en position du lotus, me frôle. Un frisson me traverse le corps. Le masque possédait-il l'âme nouée des deux disparus ? Catharsis ultime ! L'esprit de son fils et celui de Chattie symboliquement réunis par le feu. Au même instant, l'Indienne pince les cordes de son sitar. Un rituel sonore bouleversant, des sons répétitifs perchés très haut, vibration primordiale, *Nâda*, *Shakti*, puissance divine, le son perçu avant la forme ; l'ouïe, antérieure à la vue. Avant d'être une vision, la connaissance est d'abord une perception auditive. J'ai l'impression que mon cœur perçoit même l'inaudible. J'entends jouer Ravi Shankar, le grand maître de la musique indienne. Tout vacille dans l'inconnu, l'esprit toujours présent.

Le cérémonial terminé, tous, nous reprenons la descente à pied vers le village. Une marche de plus de deux heures au long de laquelle le silence prime, interrompu parfois par quelques-uns qui viennent s'apitoyer sur notre sort, à Jacinthe et à moi, les survivants. D'un accord tacite, ni Jacinthe ni moi ne cherchons à rétablir les faits, une parenté cosmique nous reliant à Chattie.

Seules Merah et l'Indienne restent près de nous pendant tout le trajet.

Alors que nous nous séparons, Mag l'Américaine nous rattrape.

— Vous venez de perdre un être cher, dit-elle. Une belle femme ! Cette mort me bouleverse. Je tenais à vous dire que je suis venue au Kilimutu en quête d'un choc esthétique. Jusqu'à maintenant, je me suis servie d'acrylique pour peindre. Je voulais qu'éclate sur la toile ce qui est larvé en chacun de nous : la planète Terre, ses habitants, en perpétuel mouvement. Ce qui s'est passé a fait basculer mes certitudes. J'ai envie de tout recommencer. Je vais m'essayer dans le pastel. Je voudrais peindre l'air, le brouillard, l'âme, l'esprit, ce que nous venons de vivre, l'impalpable. Ce n'est peut-être d'aucun intérêt pour vous deux, mais je tenais à vous en faire part !

Je n'ai aucune envie de discuter de ses préoccupations esthétiques. Nous nous faisons l'accolade et nous quittons.

Jacinthe et moi prenons le premier car disponible. Nous voyagerons de nuit.

Chapitre onze

Je suis l'air, le feu, l'eau et aussi la lune.
Je transcende le monde de la matière.
Tu ne peux me voir avec les yeux
qui sont les tiens.

BHAGAVAD-GITA

Aussitôt monté à bord de l'autocar nous menant à Maumere, la capitale de Flores, Jacinthe et moi nous réfugions dans le sommeil. Bien qu'entassés sur un siège étroit, nous sommes si fourbus, nos corps si éreintés par les événements récents, que pour rien au monde nous ne céderions nos places assises à ceux qui montent après nous, qu'ils soient vieux ou même infirmes. Abrutis, serrés l'un contre l'autre, cherchant la chaleur humaine, nous sombrons dans un sommeil trouble.

Une odeur familière envahit mon odorat. La chaleur d'un corps que je connais frôle mon côté gauche. Est-ce que je rêve? Non! En me retournant, j'aperçois Chattie entre Jacinthe et moi. «C'est impossible», me dis-je, mais elle est bel et bien là. Chattie n'est pas morte, elle flotte, nue, entre ma fille et moi. J'en suis ébahi. «Quel bonheur de te retrouver ainsi, entière, avec toutes tes odeurs!» lui dis-je. Elle me sourit. Son sourire rajeunit son visage en celui de Jacinthe. Elle applique la peau de sa main sur mon front.

Fraîcheur! Aussitôt, je fonds de plaisir et de détente. Je lui dis combien je suis heureux qu'elle ne se soit pas jetée dans les eaux de la mort, que tout cela n'était qu'un rêve, que nous aurions dû naître ensemble tels des siamois de l'âme et que nous choisirons le jour où nous nous précipiterons dans la mort ensemble. Chattie allonge alors son corps volatil sur le mien et me déleste de mes vêtements, dans une magie que j'observe, incrédule. Alors qu'elle s'évertue à éveiller mes sens et à remettre en vigueur mon sexe qui n'obéit pas aussi rapidement qu'elle le voudrait, je lui fais part des dernières paroles de l'Américaine, qui veut abandonner les pigments de l'acrylique pour désormais se consacrer au pastel afin de parvenir à imprimer sur toile l'intraduisible... Chattie éclate alors d'un rire qui résonne sur les parois de l'autocar : «Chut! tu vas réveiller les gens.» Chattie se transforme en une chatte dégriffée dans ses caresses et ronronne : «Une telle prétention ne peut naître que du cerveau d'une Américaine», dit-elle d'une voix grave qui m'atteint aux tripes. «Chattie, lui dis-je, viens, nous allons vivre ensemble, découvrir ensemble toutes les facettes de l'Univers.»

Lorsque je refais surface, je tiens la tête de Jacinthe entre mes mains. Où suis-je? Qui suis-je? Jacinthe rigole et me repousse. Je lui raconte mon rêve dans les détails, où le réel était rêvé, et le rêve, réalité :

— Chattie flottait entre nous deux. Elle me prodiguait des caresses divines.

— Papa, je t'adore! s'exclame Jacinthe, alors que nous descendons du car. Tes rêves révèlent ton âme d'enfant. Une enfance blessée. Là, tu viens de rêver que tu ne rêvais pas afin de faire revivre Chattie. C'est un baume sur ta nouvelle blessure. S'il faut en croire tes rêves mythologiques, tu as eu plusieurs vies, tu es une vieille entité... Nous sommes tous les deux ébranlés, c'est le moins qu'on puisse dire !

Et ma fille me raconte son rêve : Chattie, sage-femme, l'aidait à accoucher. Les efforts lancinants de Jacinthe pour propulser le bébé hors d'elle ont mélangé les images du rêve au point de ne plus savoir qui de Chattie ou de Guillaume tenait la tête du bébé. Et tout a basculé. Elle s'est vue elle-même, bébé ensanglanté, sortir par césarienne de l'utérus de sa mère. Et c'est moi, Guillaume, le cheveu blanchi, qui la cueillais de mes mains de vieillard.

— C'est merveilleux ! Le choc de la mort de Chattie t'a ramenée à ta propre naissance par césarienne. Ton rêve t'a fait vivre un *rebirth*. C'était inscrit dans ta mémoire. Que tu m'aies vu à un âge vénérable pour te cueillir est intrigant. Est-ce une prémonition ? Vais-je vivre assez vieux et voir ton enfant grandir, aider à lui ouvrir les portes sur ce monde ?

Jacinthe m'embrasse. La mort de Chattie tisse entre nous des liens inattendus, me dit-elle, et l'interprétation que je fais de son rêve s'avère être dans le domaine des possibilités, bien qu'elle n'en soit pas totalement satisfaite.

Nous passons la journée dans les bureaux de compagnies d'aviation. Nous ne pourrons nous envoler vers Montréal que le surlendemain, et il nous faut payer un supplément. Heureusement, je peux me servir d'une carte de crédit.

— Tant pis ! Vivons sur une liberté empruntée comme la plupart de nos compatriotes ! Au retour, on verra bien !

Après une nuit passée à nous reposer dans un hôtel très confortable, dans chacun notre chambre particulière, je découvre au petit-déjeuner une Jacinthe préoccupée. Elle a très peu dormi. Elle n'a cessé de penser à la mort de Chattie et à sa nuit d'amour avec Xanana :

— Je commence à comprendre ma mère, qui m'a souvent dit que tu n'es pas reposant. J'ai toujours rêvé de partir avec toi en voyage mais, la première fois où ça se réalise, les événements se bousculent à un rythme affolant. Ma mère disait souvent de toi : « Il fait peur au monde. » Ce n'est que maintenant que je comprends combien entre vous deux la séparation était inévitable.

— On ne peut renier ce que l'on est. Il nous faut l'assumer jusqu'au bout si nous voulons donner un sens à la vie, qui plus souvent qu'autrement paraît n'en avoir aucun. Je suis venu ici avec toi dans le but de régler mes comptes avec le passé. Depuis le début de ce voyage, la mort nous hante, et voilà qu'à la toute fin elle nous frappe de plein fouet, pour donner encore plus de prix à l'avenir. Le présent est une corde raide sur laquelle on se tient en équilibre entre ces deux réalités qui coexistent.

Jacinthe saute sur l'occasion pour formuler un vœu qu'elle n'osait émettre et qui a été la cause première de sa nuit d'insomnie. Avant de quitter ce pays, elle aimerait passer un test d'échographie. Son rêve l'a mise dans un état d'incertitude qui l'a ébranlée.

J'essaie de la rassurer. Je lui raconte ma vision de son ventre, l'embryon qui y germait, lorsque nous avons rasé les bords du cratère blanc du Kilimutu. Même si elle est fascinée par ce que je lui raconte et malgré ce qu'a pu lui écrire Chattie, les moyens techniques existent et elle tient à vérifier avant de partir.

Elle ajoute :

— J'avais trois ans quand vous vous êtes séparés, toi et maman. À partir de cet âge, j'ai souvent saigné du nez, ce qui désespérait ma mère. Toi, tu en as peu été témoin. À l'âge de mes menstruations, les saignements de nez se sont arrêtés, mais les pertes vaginales se sont avérées souffrantes, abondantes, et cela, à répétition, tous les mois, comme si chaque fois je vivais une fausse couche. D'après la thérapeute que j'ai consultée, ces saignements étaient psychosomatiques. Et ce rêve où tu me cueilles pleine de sang n'a rien pour me rassurer. Je ne veux pas finir comme Chattie. Je dois me libérer de ce qui m'a blessée. Depuis des années, j'appréhende ce temps des menstruations, je souffre trop. Là, mes menstruations ont cessé après que j'aie fait l'amour avec Xanana. Suis-je véritablement enceinte ou n'est-ce qu'une autre réaction psychosomatique parce que, pour la première fois, j'ai aimé pleinement faire l'amour? Je veux vérifier ce qui se passe avant de quitter le pays de Xanana.

Je croyais de plus en plus connaître ma fille et voilà que je découvre que je ne sais rien d'elle, de ses souffrances. Réussit-on à connaître vraiment l'autre, fût-elle sa propre fille?

Nous nous mettons à la recherche d'un hôpital ou d'une clinique. Après de multiples essais, et à l'aide de quelques dollars américains, nous réussissons à franchir le mur des langues et des délais.

À la clinique, l'écran nous révèle que Jacinthe est bel et bien enceinte, mais oh! surprise! il n'y a pas qu'un seul fœtus, il y en a deux.

— Il est trop tôt pour connaître leur sexe, nous dit la vieille infirmière, qui en a vu d'autres, mais je crois qu'il y a là un mâle et une femelle.

En sortant de la clinique, Jacinthe est bouleversée. Elle dit :

— Je ne devrais pas m'en faire. Des milliers de femmes de par le monde vivent la même chose que moi. Si je suis la seule à en décider, s'il n'en dépend que de moi, ces deux bébés vont être portés à terme.

Je suis ému et lui propose de retourner à Yogyakarta si tel est son désir.

— Non. En ces temps troubles, je n'ai aucune envie d'y retourner. Et Xanana est sûrement toujours à Sumatra.

Lorsque je lui dis la chance qu'elle a de porter deux fœtus, Jacinthe me corrige :

— Ne parle pas de fœtus, je n'aime pas ça. Ce sont deux bébés et je vais tout faire pour qu'ils voient le jour !

La détermination dans son regard est resplendissante. Elle est la déesse Terre, telle que l'était sa mère enceinte d'elle ! Sita déambule, portant le monde en elle, jusqu'au bout !

Nous commandons un repas gastronomique à ma chambre, où Jacinthe restera pour la nuit. Je tiens à la protéger, mais sans être encombrant. Nous festoyons. Des pâtes aux calmars arrosées d'un vin capiteux. Je suis heureux ! J'ai l'impression d'être accompagné de Tinila, de Kagong, de Xanana, de Chattie, et même de Noam, des coqs vainqueurs ou morts au combat, de tous les Balinais et Javanais qui dansent et creusent un sillon de vie. Jacinthe, ivre légèrement, m'avoue être déterminée à tout dire à Martin, son compagnon depuis un an.

— Nous allons sûrement rompre, mais ce n'est pas grave. Ce qui importe, c'est la vie qui est là. Je vais continuer à enseigner la danse jusqu'au septième ou huitième mois, si c'est possible. J'ai l'impression que mes cours vont changer, qu'ils vont être influencés par ce que j'ai vécu pendant ce voyage.

Et elle se flatte le ventre, tout doucement. Je l'adore.

Repus, nous coulons dans un sommeil paisible.

Au réveil, nous constatons tous les deux avoir hâte de rentrer au pays.

À bord de l'avion, un voyage de plus de trente heures incluant deux escales, je me plonge dans la lecture de la fin du *Ramayana* alors que Jacinthe, étendue confortablement près de moi, indolente, se réfugie aussitôt dans le sommeil, un léger sourire aux lèvres et ses deux mains réunies sur son ventre.

Kouça et Lava, les jumeaux nés de Sita, sous la tutelle de Valmiki, atteignent l'âge de l'adolescence et deviennent des saltimbanques qui propagent avec talent, sur différentes scènes à travers le pays, l'histoire de Rama et Sita, que Valmiki a prodigieusement trancrite dans la langue sanskrite. Rama à la tête de son royaume se morfond de la douleur d'être séparé de sa Sita. Appelant les dieux à sa rescousse, il décide d'organiser une grande fête où sont invités son peuple, les rois, reines et habitants des pays voisins. Il va saigner, de ses propres mains, son grand cheval blanc qu'il aime tant, parce que sa douleur atteint un paroxysme qu'il ne peut plus supporter. Pour retrouver la paix de l'âme, il lui faut accomplir ce sacrifice.

Le jour des célébrations, alors que des milliers de personnes pleurent sur la place publique parce qu'elles viennent de voir Rama trancher la gorge à son cheval aimé, des saltimbanques offrent un spectacle.

Kouça et Lava se présentent. Kouça joue l'homme, Lava, aux gestes féminisés, joue la femme blessée qui doit se retirer pour satisfaire les désirs de l'homme. La joute prend des allures mélodramatiques quand la femme est répudiée et doit se réfugier sur les rives du Gange. De désespoir, la foule hurle son mécontentement. Kouça et Lava arrêtent de jouer tant les cris provenant de toutes parts les subjuguent.

Rama alors, du haut de son trône, impose le silence à tous et proclame :

— Donnez à ces deux artistes une récompense d'or !

Kouça et Lava s'exclament tous deux :

— Nous vivons dans la forêt. L'or, dans la forêt, n'est d'aucune utilité.

Et Rama de demander :

— D'où vient cette histoire que vous racontez ?

— Elle provient de Valmiki, un poète qui raconte tes hauts faits et ceux de notre mère qui doit en subir les conséquences.

Rama, se sentant alors vulnérable parce qu'il sait reconnaître sa culpabilité, convaincu que ces deux jeunes sont ses fils, fond en larmes et descend de son trône pour les accueillir à bras ouverts. Il les supplie de lui présenter leur mère si jamais elle est toujours vivante.

Valmiki sort alors de la foule, soutenant Sita qui, les yeux embués de larmes, fébrile, déclare à Rama :

— Je ne t'ai jamais menti, beau prince, ces deux enfants sont bien de toi. Je t'ai toujours été fidèle !

La multitude, silencieuse, est enfin convaincue que Sita est restée d'une pureté exemplaire. Rama, tremblant d'émotion, s'empare de la main de Sita et l'invite à regagner le royaume en sa compagnie. Sita se dégage et se détourne de Rama. Face à la multitude, elle déclare haut et fort :

— Pour prouver devant tous que Rama fut unique en mon cœur, ce dont vous avez toujours douté, je veux que la terre me reprenne, que je revienne à elle comme j'en suis sortie !

Surgit alors du sol un trône d'or soutenu par des serpents monstrueux éjectant dans la foule une folie collective. Sita y prend place. Un tremblement de terre se produit, une large crevasse fend le sol, engloutissant Sita assise sur son trône. L'enfant née d'un sillon retourne à l'intérieur de la Terre, jetant la consternation en surface. La vérité triomphe !

Rama, fou de douleur, congédie la foule, et se retire avec ses deux fils. Toute la nuit, il pleure son aimée.

Plusieurs jours plus tard, un sage lui déclare :

— Ton passage parmi les hommes prend fin. Toi-même en as délimité les années par tes actions. Tu dois maintenant choisir. En ta qualité de roi, ta volonté fait ou défait l'ordre divin, mais Brahma t'attend.

Rama répond :

— Je pars. Sans hésitation, je reviens à mon origine. Que le ciel et la Terre se réjouissent! Ce qui devait arriver arrive, tout est accompli!

Rama, après avoir remis le pouvoir à ses fils, plonge dans la méditation infinie du yoga. Après des heures et des heures de méditation, au fil desquelles tous admirent son immuabilité, Rama disparaît, devient invisible aux yeux qui l'entourent, éblouis de lumière. L'espace s'emplit d'une musique surnaturelle. Vishnou retourne au cœur de l'Univers, aux assises de l'indifférencié.

Notre voyage prend fin alors que je termine ma lecture.

Il est dit que celui qui lit le *Ramayana* connaîtra la fortune, que celui qui l'entend ou le voit sera délivré du mal, que celui ou celle qui est sans enfant en obtiendra. Ce récit assure la victoire et prolonge la vie, ajoute-t-on; il guérit des maladies et procure le bonheur en ce monde et dans l'autre.

Qui sait? Un jour viendra peut-être où, tels les jumeaux de la légende, ceux nés de ma fille, devenus acteurs ou danseurs, viendront apprendre à Xanana, par un moyen cybernétique évolué ou en sa présence, qu'il est leur père.

J'espère avoir suffisamment de temps sur cette Terre pour transcrire une histoire d'amour qui a pris naissance en ce début de troisième millénaire.